Die Deutsche Frage (mitsamt der Ber... Weltkrieg wieder zu den umstrittenste... ...ernationalen Politik. Das, was seitdem mit diesem Schlagwort gemeint ist, sei zunächst an zwei Definitionen verdeutlicht. Beide stammen von Historikern. Die erste wurde in jenem Augenblick geprägt, als die Niederlage des nationalsozialistischen Reiches bevorstand. Die zweite formulierte gut anderthalb Jahrzehnte später ein Westdeutscher, und zwar nach dem Bau der Berliner „Mauer".

1. „Die ‚Deutsche Frage' hat zwei verschiedene Seiten. Wie können die Völker Europas gegen wiederholte Ausfälle deutscher Aggression gesichert werden? Und wie kann das deutsche Volk eine ruhige, friedliche Form der politischen Existenz finden?" (A. J. P. Taylor, The Course of German History. A Survey of the Development of Germany since 1815, London ²1945, S. 8 f.)

... „Die ‚Deutsche Frage' lautet: Wie kann das zahlenmäßig stärkste Volk Europas zu einer gemeinsamen politischen Willensbildung, mithin zu einer Nation kommen – wie sie in Frankreich, England, Rußland, Polen, Italien, den iberischen und skandinavischen Staaten vollzogen ist –, ohne daß Frieden und Freiheit der übrigen europäischen Nationen dadurch gefährdet zu werden brauchen?" (W. Hubatsch, Die Deutsche Frage, Würzburg 1961, S. V.)

...de dieser Formulierungen erweist, daß das Problem vielschichtig ist. Es ...ird unterschiedliche Antworten auf die Frage geben, je nachdem ob Deut ...he oder ihre Nachbarn sie zu lösen versuchen. Dabei wäre zu bedenken, ...aß seit 1945 nicht nur oder gar vorrangig die europäischen Nachbar ...ölker das entscheidende Wort zu sagen haben. Die Weltmächte USA ...nd UdSSR vor allem bestimmen, wie die Sicherheit auf dem Kontinent ...währleistet werden soll – ob durch Gebietsabtretungen, Aufteilungen, ...litärbasen fremder Mächte, Rüstungsbeschränkungen, Produktionsver ...te, überstaatliche Integrationen oder gar durch eine Kombination aller ...eser Methoden. Was „die Deutschen" angeht, so wäre zu klären, wer ...elche ihrer Stämme gegenwärtig im Sinne einer Nation als zusammen ...ehörig betrachtet? Wer begreift „das zahlenmäßig stärkste Volk Europas" ...llein nach der Muttersprache (Deutschschweizer!) oder gemäß gemein amer Kultur und Geschichte (Österreicher, Südtiroler)? Auch beruht jede Definition auf einem bestimmten Geschichtsbild. Zählte Taylor zu den „wiederholten Ausfällen deutscher Aggression" die Geschehnisse von 1813/15 und 1870/71? Urteilten Taylor und Hubatsch im nationalstaatlichen Sinn, wonach nur eine *einzige* „Form der politischen Existenz" des *gesamten* „deutschen Volkes" und „die gemeinsame politische Willensbildung" *aller* Deutschen das wesentliche Ziel sei oder gar als selbstverständlich vorausgesetzt werden könne?

Neben dem Sicherheitsproblem und dem Umfang des einen Staates oder mehrerer souveräner Gebilde ist deren politisch-sozialökonomische Verfassung zu bedenken. Gerade die Gesellschaftsstruktur von Staaten ist im internationalen Zusammenhang nicht belanglos. Das hat sich seit 1789 ebenso gezeigt wie seit 1917. Für die USA und die UdSSR ist deshalb seit 1945 die Deutsche Frage nicht nur wegen der strategischen Position und des militärischen Potentials in Mitteleuropa wichtig, sondern auch die Art der inneren Ordnung ist entscheidend. Das heißt seit 1945: Sollten den Besiegten nach einer Bewährungszeit Grundrechte einer freiheitlich verstandenen Demokratie gewährt werden, die den Schutz des Privateigentums auch an allen Produktionsmitteln und die Garantie freier wirtschaftlicher und politischer Konkurrenz einschließen? Oder galt es, die Grundsätze des Marxismus-Leninismus zu verwirklichen? Auf diese Dimension verweist eine weitere Definition der Deutschen Frage; sie stellt die marxistisch-leninistische Deutung dar:

3. „Das Wesen der deutschen Frage besteht in der Beseitigung des deutschen Imperialismus und Militarismus und in der Schaffung von Bedingungen für eine demokratische, friedliche Entwicklung Deutschlands, die den früheren Weg der Kriege und Aggressionen ausschließt. Die Lösung dieser Frage wurde angesichts der Spaltung Deutschlands in zwei Staaten, die sich in gegensätzlicher Richtung entwickelten, außerordentlich erschwert." (W. Kerff – H. Seydewitz [Hg.], Wörterbuch der Außenpolitik [Berlin-Ost] 1965, S. 158.)

Diese Deutung geht von der These aus, daß sich in beiden deutschen Staaten die Verkörperungen zweier Grundsätze gegenüberständen, die nicht miteinander zu vereinbaren seien: einerseits die Grundsätze der friedliebenden wahrhaftigen Demokratie und andererseits die des aggressiven Imperialismus. In der DDR herrsche die Arbeiterklasse („Erster deutscher Arbeiter-und-Bauern-Staat"), in der Bundesrepublik Deutschland der Monopolkapitalismus. Entsprechend dem Stufenschema des Historischen Materialismus verharre die BRD als formal demokratischer Staat der Monopolbourgeoisie in einer Phase der gesellschaftlichen Entwicklung, die nur eine Epoche des Übergangs zur realen Demokratie darstelle. Auch verhelfe das Geschichtsbild dazu, das Wesen der Erscheinungen zu erkennen. Jedoch dürfe man nach der Anleitung der Dialektik nicht dabei stehenbleiben, vielmehr müsse die gesellschaftliche Wirklichkeit in Deutschland gemäß der als wissenschaftlich erkannt ausgegebenen Zielvorstellung revolutionär verändert werden: „Beseitigung ... und Schaffung von Bedingungen". „Der Kampf um die Lösung der nationalen Frage ... [ist] eine soziale Machtfrage" (W. Ulbricht 1963). Auf Grund der neoleninistischen Imperialismus- und Revolutionstheorien entwickelte die SED diese Thesen seit 1957 (vgl. W 31, 34, 36, 37; unten 68, 80).

Während des Kalten Krieges hat jede der beiden Weltmächte seit 1949 in jenem Teil Rumpfdeutschlands, den sie beherrschte, ein Staatsgebilde errichtet, das den eigenen Grundvorstellungen und Interessen entsprach. Gesellschaftsordnungen und Staatsstrukturen sind einander völlig entgegengesetzt. Jeder Teil wurde im Laufe zweier Jahrzehnte ideologisch, wirtschaftlich, finanziell und militärisch immer stärker dem Block der jeweils herrschenden Weltmacht einverleibt. Spaltung und Integration treten in der besonderen Lage Berlins am deutlichsten zutage. Der Antagonismus in Urteilen und Ansprüchen und tatsächlichen Ausrichtungen kennzeichnet den Stand der Deutschen Frage.

Blickt man von der Zeitgeschichte und Gegenwart aus zurück, so stellt man fest, daß die Deutsche Frage nicht nur gegenwärtig ein wesentliches Thema darstellt. Vielmehr kam ihr in der gesamten Neuzeit ein entscheidender Rang zu. Besonders die Regelungen von 1648, 1807/12, 1815 und 1919 sowie die Geschehnisse von 1848/49 beweisen, daß stets die jeweiligen Großmächte die Antwort auf die Deutsche Frage bestimmten. Bismarcks Politik zeigt, daß und wie Verantwortliche in Deutschland auf die ausländischen Mächte Rücksicht nehmen mußten, wenn sie gar einen umfassenden souveränen Staat für die meisten Deutschen errichten wollten, ohne dabei einen kontinentalen Krieg – und das hieß immer: einen Krieg auf deutschem Boden – zu riskieren. Für die Epoche 1864–1890 fallen als Momente auf: geschicktes Ausnutzen der preußischen Militärmacht und der internationalen Lage, glaubhafte Bewertung des Erreichten als endgültig („Saturiertsein") und Vermeiden des Eindrucks, als ob die Stellung des Reiches mißbraucht werden sollte („ehrlicher Makler"). Die völlig andersgeartete Politik des nationalsozialistisch-rassistischen deutschen Imperialismus verursachte schließlich 1945 jene Situation, aus der seitdem die Deutsche Frage in ihrer gegenwärtigen Ausprägung entstanden ist.

Eine Reihe natürlicher Gegebenheiten sowie besonderer historischer Zusammenhänge hat dazu beigetragen, daß die Deutsche Frage seit dem Spätmittelalter immer wieder die Deutschen und ihre Nachbarn zu Antworten herausgefordert hat. Stichwortartig sei an derartige Zusammenhänge erinnert. Die Grundvoraussetzung nannte der britische Politikwissenschaftler Georg Schwarzenberger kategorisch: „The basic fact in the explanation of the German mystery is geographical: the open expanse of the North European plains from the Low Countries to the heart of Russia." So erklärte er den jahrhundertelangen Streit um die Grenze von Germanen und Slawen. Andererseits begünstigte die vielfältige Gliederung des Raumes durch Gebirge und Ströme individuelle Stammesentwicklungen, später auch die Ausbildung und Kräftigung besonderer Staaten innerhalb des Heiligen Römischen Reiches Deutscher Nation. Bis 1866 haben Jahrhunderte hindurch Deutsche gegen Deutsche gekämpft. Im 19. Jahrhundert bewirkte zweierlei wachsende Spannungen: die Sprengkraft des Nationalstaatsgedankens innerhalb dynastischer Vielvölkerstaaten sowie die mangelnde politische Mitbestimmung zunächst der Bürger, dann auch der Arbeiterschaft. Von den Raumbedingungen her wurde seit 1871 eines wesentlich: „Die Mittellage zwischen starken Flügelmächten ist das Kernproblem der Außenpolitik des preußischen Staates gewesen. Mit dem Sieg über das zeitweilig isolierte Frankreich trat das neu gegründete Deutsche Reich Preußens Erbe an, nunmehr bei überlegener militärischer Organisation, wachsender Bevölkerungszahl und rascher Entfaltung starker Wirtschaftskräfte als kontinentale Hegemonialmacht in erhöhter Gefahr, die Koalition der Flügelmächte gegen sich heraufzubeschwören" (H.-G. Zmarzlik). Sonderentwicklungen, z. B. der Vorrang des Militärs in Preußen sowie anti-westlich-demokratische Ideologien („Kultur gegen Zivilisation", „Deutsche Art des Staates"), verstärkten in Westeuropa den Eindruck, daß hier ein gefährlicher Außenseiter übermäßig erstarkt sei. Wilhelminisches Weltmachtstreben und alldeutsche Siegfrieden-Politik (Brest-Litowsk 1918!) begünstigten 1919 im Versailler Vertrag und in den übrigen Abmachungen harte Antworten auf die Deutsche Frage. Rapallo, Stresemanns Außenpolitik (Verzicht auf ein Ost-Locarno, Deutschland als Brücke zwischen

: 4

demokratischem Westen und der UdSSR) ließen manchen gegenüber dem
entmachteten Reich mißtrauisch bleiben. Von 1939, besonders aber von
1945 her gesehen, neigten viele Betrachter dazu, eine politische Ahnenreihe
Hitlers von der nationalsozialistischen Propaganda zu übernehmen: Bis-
marck – Friedrich II. – Luther als Personifizierungen von Preußentum und
Luthertum, der entscheidenden aggressiven und undemokratischen Hal-
tungen. Andere machten das gesamte deutsche Volk verantwortlich für
Eroberungskriege und Massenvernichtungen. Marxisten schließlich meinten,
daß Großgrundbesitzer und Kapitalisten für Imperialismus und Faschismus verantwortlich seien. Je nach diesen Grundeinstellungen ergaben sich
bestimmte Vorschläge, um die Deutsche Frage zu beantworten, und zwar
diesmal endgültig . . .
W. Cornides (Die Weltmächte und Deutschland, ²1961, S. 29 f.) hat auf
diese Zusammenhänge aufmerksam gemacht. Die unterschiedlichen Denk-
weisen lassen sich in allen Plänen und Diskussionen seit dem Zweiten
Weltkrieg nachweisen; selbstverständlich waren sie mit den Ideologien und
Interessen der jeweils Verantwortlichen in den einzelnen Großmächten aufs
engste verknüpft. In diesem Zusammenhang ist es wichtig, daß innerhalb
der Administration der USA beträchtliche Meinungsverschiedenheiten gerade über die künftige Politik gegenüber Deutschland bestanden (so drückte
der Morgenthauplan nur die Meinung einer von mehreren konkurrieren-
den Richtungen aus).
Die vorliegende Materialsammlung belegt, was zur Deutschen Frage seit
dem Zweiten Weltkrieg geplant, vereinbart und geurteilt wurde; Maßnahmen und Texte der Siegermächte überwiegen dabei. Auf Ansprüche und
Möglichkeiten deutscher Politiker in jenen Jahren, in denen die Teilung
Rumpfdeutschlands noch nicht staatsrechtlich fixiert war, sowie auf Absichten und Entscheidungen seit Gründung der BRD und der DDR verweist das ergänzende Quellenheft „Deutschland-Politik der Bundesrepublik
Deutschland. Groß-Berlin – Staatsname – Ansprüche – Realitäten".* Es
fragt sich, ob etwa 1947–1955 andere Entscheidungen, als sie gefallen
sind, manchmal gegen den Willen einer oder mehrerer Besatzungsmächte,
in der Situation des Kalten Krieges hätten durchgesetzt werden können.
Zudem müssen stets die weltpolitischen Zusammenhänge des Geschehens
in Deutschland beachtet werden. Die verbindenden Texte gehen darauf
ein.**
Kenntnis der Fakten, der Zusammenhänge und der Argumentationen der
entscheidenden Faktoren (durchaus nicht immer dogmatisch!) erlaubt es, die
gegenwärtige Entwicklung der Deutschen Frage zu verfolgen. Die Überlegungen E. Menzels über die unterschiedlichen Arten, die Politik der
Faktoren zu beurteilen (92), sind in methodischer Hinsicht wesentlich.
Zur Schreibweise: Die Quellen werden jeweils nach den angegebenen Vor-
lagen wiedergegeben, also Deutsche Frage oder deutsche Frage, Drei Mächte
oder drei Mächte usw.

* Klettbuch 4253; ein DP mit Nummer des Quellentextes verweist darauf.
** Belege: W „Der Kalte Krieg. Probleme der Weltpolitik 1945–1962" (Klettbuch 42561),
P „Politische Willensbildung in der Bundesrepublik Deutschland" (Klettbuch 4246). Auf
die Zeittafel in W, S. 6-12, sei ausdrücklich hingewiesen.

I. Die Lage am Ende des Zweiten Weltkrieges

In der Öffentlichkeit der United Nations sowie auf den Gipfelkonferenzen der Verantwortlichen wurde häufig über die Deutsche Frage diskutiert. Grundsätzlich (Atlantik-Charta, W 1) und konkret für einzelne Länder und Räume (W 2–6) versuchten die Regierungschefs der Großmächte, sich darüber zu einigen, wie ihren unterschiedlichen Interessen am besten entsprochen werden konnte; militärische Sicherheit, Interessensphären in wirtschaftlicher und gesellschaftspolitischer Hinsicht, wirtschaftliche Konkurrenz waren wichtige Gesichtspunkte. Dabei wirkten sich der jeweilige Frontverlauf genauso entscheidend aus wie Überlegungen, die der künftigen Entwicklung galten. In bezug auf Europa schien festzustehen, daß die Streitkräfte der USA wenige Jahre nach dem Ende der Kampfhandlungen über den Atlantik zurückgezogen werden würden. Folglich würden lediglich Großbritannien und die UdSSR die entscheidenden Mächte des Kontinents sein. Das sollte sich auch dann auswirken, wenn die Kriegsallianz in einer „Weltorganisation zur Erhaltung des Friedens und der Sicherheit" fortgeführt werden konnte. Auf diesem Hintergrund militärischer Entscheidungen sowie unterschiedlicher Interessen und politisch-wirtschaftlicher Absichten der alliierten Großmächte ist besonders die Deutsche Frage behandelt worden. Der rückschauende Betrachter ist davor zu warnen, irgendwelche Überlegungen oder Entscheidungen isoliert zu sehen – genausowenig wie Maßnahmen und Urteile aus der Epoche des Kalten Krieges in die Kriegszeit allzu geradlinig zurückprojiziert werden sollten.

Besonders seit 1941 hatten britische, nordamerikanische und sowjetrussische Staatsmänner die territoriale Verkleinerung Großdeutschlands und andere Möglichkeiten zur Ausschaltung weiterer Gefahren erörtert: Internationalisierung von Wirtschafts- und Verkehrszentren, Art und Ausmaß von Reparationen, ein gemeinsames Besatzungsregime zwecks Bestrafung von Kriegsverbrechern, Entmilitarisierung und Demokratisierung sowie Zerstückelung. Seit der Wende des Krieges zugunsten der Anti-Hitler-Koalition erstrebte Churchill Lösungen, die den Besiegten nicht bloß negativ erscheinen sollten (1). Seit Sommer 1943 hatten die Westalliierten der UdSSR eine Sicherheitssphäre in Europa zugebilligt. Jetzt ging es im wesentlichen darum, wo sie westlich zu begrenzen war. Angloamerikanische Fürsprecher regionaler Lösungen (1, 2) konnten im Herbst 1944 als Erfolg verbuchen, daß in der Verfassung der künftigen Weltorganisation (Dumbarton Oaks August – Oktober 1944) übernationale Verteidigungssysteme anerkannt wurden (vgl. W 8, Art. 51–53). Angesichts des Vormarsches der Roten Armee und der Sowjetisierung in deren Machtbereich drängte Churchill jetzt bei Stalin darauf, die beiderseitigen Interessensphären in Europa abzugrenzen (Balkan, W 5). Für Gesamteuropa propagierte u. a. das Londoner Blatt „The Times" entsprechende Lösungen; dabei spielte das Gebiet Deutschland eine Schlüsselrolle (W 47). Währenddessen einigten sich die drei Großmächte darüber, daß und wie Deutschland für Besatzungszwecke in Zonen aufgeteilt werden sollte (3). Klare Zugangsrechte für die Westmächte nach Berlin wurden nicht vereinbart. Ferner hatten sich Roosevelt,

Churchill und Stalin grundsätzlich darüber geeinigt, daß der verbleibende Rumpf Deutschlands zerstückelt werden sollte (5). Als die Vereinbarungen über Polen (Freie Wahlen, W 6) nicht verwirklicht werden konnten, beschäftigte sich das britische Kriegskabinett im März 1945 mit Überlegungen, wie einer möglichen Sowjetisierung auch der „Ostzone" Deutschlands begegnet werden könne. Es lag ein Plan vor, wonach ein vereinigtes Westdeutschland in die Gesamtwirtschaft Westeuropas eingefügt werden könne. Jetzt übergab die UdSSR die Verwaltung aller Gebiete der „Ostzone" Deutschlands östlich von Oder und Neiße jener polnischen Regierung, die nur von der Sowjetregierung anerkannt war. Zugleich verhinderte es die UdSSR, daß Einzelheiten der Zerstückelung Rumpfdeutschlands geregelt wurden. Entgegen den Vereinbarungen von Jalta (4–6) ließen die Sowjets keinen Franzosen an diesen Beratungen teilnehmen. Auf der Potsdamer Konferenz sollte es sich herausstellen, warum die UdSSR seit Frühjahr 1945 ihren Willen betonte, die Einheit (Rumpf-)Deutschlands zu bewahren (7).

Über die Schlußsitzung der Konferenz von Teheran am 1. Dezember 1943 berichtete Winston S. Churchill. (Bedenken Sie für Churchills eigenen Vorschlag die Lösung der Polnischen Frage 1815–1918!) Vor dem Schlußgespräch hatte auch Roosevelt anerkannt, daß jene Linie die Westgrenze der UdSSR darstellen solle, die der britische Politiker Curzon 1919 vorgeschlagen und die Stalin 1939 mit Einwilligung Hitlers 1939 erreicht hatte (vgl. W 6!).

1 „Nunmehr fragte Stalin: ‚Ist noch ein Punkt zu besprechen?' – ‚Das deutsche Problem', erwiderte der Präsident. Stalin erklärte, er sähe Deutschland am liebsten aufgeteilt. Der Präsident äußerte sich zustimmend, woraufhin Stalin meinte, ich sei dagegen. Grundsätzlich sei ich nicht dagegen, erwiderte ich. Roosevelt schlug vor, einen Plan zur Diskussionsbasis zu machen, der von ihm und seinen Beratern vor etwa drei Monaten entworfen worden sei. Es sei darin Deutschlands Aufteilung in fünf Teile projektiert. Stalin insinuierte mit breitem Lächeln, ich hörte nicht zu, weil ich die Aufteilung Deutschlands nicht wünschte. Ich entgegnete, die Wurzel allen Übels liege in Preußen, in der preußischen Armee und ihrem Generalstab. Roosevelt detaillierte dann sein Aufteilungsprojekt:

1. Preußen.

2. Hannover und Norddeutschland.

3. Sachsen mit dem Raum um Leipzig.

4. Hessen-Darmstadt, Hessen-Kassel und das Gebiet südlich des Rheins.

5. Bayern, Baden, Württemberg.

Diese Teile würden unabhängige Regierungen erhalten; zwei weitere Gebiete seien jedoch unter die Verwaltung der Vereinigten Nationen zu stellen:

1. Kiel, der Kieler Kanal und Hamburg.
2. Die Ruhr und die Saar.
Diese würden der Kontrolle der Vereinigten Nationen als Treuhändern unterstehen. Das Ganze sei nur eine Idee, die er zur Diskussion stelle.

‚Um eine amerikanische Redewendung zu gebrauchen‘, antwortete ich, ‚würde ich sagen, daß der Herr Präsident den Mund sehr voll genommen hat.‘ ‚Dieses Projekt ist mir neu. Meiner Meinung nach gibt es zwei Möglichkeiten: Die eine ist konstruktiv und die andere destruktiv. Zwei Gedanken schweben mir ganz klar vor: Erstens muß Preußen isoliert werden. Was nachher mit Preußen geschieht, ist sekundärer Natur. Dann möchte ich Sachsen, Bayern, die Pfalz, Baden und Württemberg vom Reich loslösen. Während ich mit Preußen streng verfahren würde, möchte ich die zweite Gruppe behutsamer anfassen. Diese würde ich am liebsten in einem Bund zusammenschließen, den ich als Donaubund bezeichnen möchte. Die Bevölkerung dieser Teile Deutschlands ist weit weniger ungestüm, und ich sähe sie gern in erträglichen Lebensbedingungen; die nächste Generation wird dann ganz anders denken und empfinden. Süddeutschland beginnt keinen neuen Krieg; aber wir müssen die Dinge so gestalten, daß es sich nicht zu Preußen hingezogen fühlt. Ob es eine oder zwei Gruppen sein werden, macht mir nichts aus.‘ "
Stalin entgegnete: „Ein Plan zur Aufteilung Deutschlands in der Linie des Rooseveltschen Vorschlags sei ihm lieber; er verspreche eine größere Schwächung Deutschlands. Aber zwischen Nord- und Süddeutschen bestehe kein grundsätzlicher Unterschied . . . Wir müßten uns hüten, die Österreicher in irgendeine derartige Kombination einzuschließen. Österreich habe selbständig existiert und könne es wieder tun. Auch Ungarn müsse selbständig bleiben. Nach der Zerreißung Deutschlands wäre es unklug, einen neuen Bund zu bilden, sei es einen Donaubund oder einen anderen. Präsident Roosevelt pflichtete Stalin eifrig bei. Es gäbe keine Unterschiede zwischen den Deutschen."
Churchill entgegnete: „Wenn man Deutschland nach dem Vorschlag des Präsidenten in eine Anzahl Teile zersplittere und sie in keine anderen Staatsgebilde einfüge, werden sie sich wieder vereinigen wollen. Das Problem bestehe nicht so sehr in der Teilung Deutschlands als vielmehr darin, die abgetrennten Teile lebensfähig zu machen, so daß sie willig auf eine Anlehnung an ein größeres Reich verzichten. Wenn man das für fünfzig Jahre erreichen könnte, wäre es schon sehr viel."

W. S. Churchill, *Der Zweite Weltkrieg*, Bd. V, 2, dt. Ausgabe Stuttgart 1953, S. 95–97.

Deutschlands „Platz an der Sonne" [1] stellte sich der einflußreiche nordamerikanische Publizist Walter Lippmann im Sommer 1944 folgendermaßen vor:

2 „Wir können nicht wünschen, die Deutschen für immer zu überwachen. Wir müssen eine Lösung suchen, in der sie freiwillig das Gesetz beachten. Schließlich, so meine ich, kann ein entwaffnetes Deutschland ... in den internationalen Wirtschaftsaustausch der Atlantischen Gemeinschaft aufgenommen werden. Aber dies kann nur mit der ausdrücklichen Zustimmung der Sowjetunion geschehen. Deshalb ist es überhaupt nicht fraglich, ob Deutschland in das Militärsystem der Atlantikmächte hineingenommen werden kann. Indem wir ein entmilitarisiertes Deutschland vom Überseehandel abhängig machen, schaffen wir die beste Garantie dafür, daß die jahrhundertealte Ostausdehnung, der ‚Drang nach Osten', beendet wird ...
Deutsche Wirtschaftsexpansion in Europa bedeutet deutschen Militarismus und alldeutsche Beherrschung; in diesem Krieg geht es darum, beides auszurotten. Es wird sicherer für ganz Europa, und also auch für Rußland, falls Deutschland vom Überseehandel abhängig wird. Je weniger Deutschland sich selber versorgen kann, desto besser ist es für seine Nachbarn, die es zu beherrschen versuchte, und ebenso für die atlantischen Nationen, die aus diesem Krieg als Beherrscher der Meere hervorgehen werden."

W. Lippmann, U. S. War Aims, London 1944, Vorwort der brit. Ausgabe vom 28. Juli 1944, S. 72 f., 74.

Über die künftigen „Besatzungszonen und die Verwaltung von Groß-Berlin" hieß es in einem Protokoll [2] der Bevollmächtigten der Regierungen der USA, Großbritanniens und der UdSSR bei der Europäischen Beratenden Kommission in London vom 12. September 1944:

3 „1. Deutschland wird innerhalb seiner Grenzen, wie sie am 31. Dezember 1937 bestanden, für Besatzungszwecke in drei Zonen aufgeteilt, von denen eine jeder der Drei Mächte zugeteilt wird, und in das Sondergebiet Berlin, welches unter eine Besatzungsbehörde der Drei Mächte gestellt wird ...
Der obige Text ... ist ... einstimmig gebilligt worden, mit *der* Ausnahme, daß die Zuteilung der Nordwest- und Südwest-Besatzungszone Deutschlands und des nordwestlichen und südwestlichen Teiles von ‚Groß-Berlin' gemeinsamer künftiger Beratung und eines ge-

[1] Reichskanzler von Bülow 1897 im Reichstag anläßlich des Erwerbs von Kiautschou.
[2] Bis zum 6. Februar 1945 (Jalta!) haben alle drei Regierungen dieses Abkommen gebilligt.

meinsamen Abkommens der USA, des Vereinigten Königreiches und
der UdSSR bedarf."

*E. Deuerlein, Die Einheit Europas, Bd. I: Die Erörterungen und Entscheidungen der
Kriegs- und Nachkriegskonferenzen 1941–1949, Frankfurt/M.–Berlin, ²1961, S. 314 f.
Deuerlein bietet zwei Übersetzungen sowie die ausführliche Deutung des Department of
State der USA vom 24. März 1960. Eine dritte Übersetzung in: W. Heidelmeyer-G. Hind-
richs, Dokumente zur Berlin-Frage 1944–1962, München 1962, S. 3*

Über das Ergebnis der Gipfelkonferenz von Jalta (Krim) vom 3.
bis 11. Februar 1945 hieß es in der Presseerklärung Churchills, Roosevelts
und Stalins:

4 „Wir einigten uns über gemeinsame Richtlinien und Pläne für die
Durchführung der Einzelheiten der bedingungslosen Kapitula-
tion, die wir gemeinsam Nazideutschland auferlegen werden, nach-
dem der deutsche bewaffnete Widerstand endgültig gebrochen ist.
Diese Einzelheiten werden nicht vor der endgültigen Niederwerfung
Deutschlands veröffentlicht werden.

Nach den vereinbarten Plänen werden die Truppen der drei Mächte,
jede Macht für sich getrennt, eine besondere Zone Deutschlands besetzen. Nach dem Plan wurde eine koordinierte Verwaltung und
Kontrolle durch eine Zentrale Kontrollkommission vorgesehen, die
aus den Oberbefehlshabern der drei Mächte bestehen und ihren Sitz
in Berlin haben soll.

Es wurde Übereinstimmung darüber erzielt, Frankreich durch die
drei Mächte aufzufordern, wenn es einen solchen Wunsch haben
sollte, eine Besatzungszone zu übernehmen und als viertes Mitglied
an der Kontrollkommission teilzunehmen. Über die Grenzen der
französischen Zone werden sich die vier beteiligten Regierungen
durch ihre Vertreter in der Europäischen Beratenden Kommission
einigen.

Es ist unsere unerschütterliche Absicht, den deutschen Militarismus
und das Nazitum zu vernichten und die Gewähr zu schaffen, daß
Deutschland nie wieder fähig sein wird, den Frieden der Welt zu
stören. Wir sind entschlossen, alle bewaffneten deutschen Streitkräfte
zu entwaffnen und aufzulösen; den deutschen Generalstab, der wie-
derholt den deutschen Militarismus wiedererstehen ließ, für alle
Zeiten zu zersprengen; das gesamte deutsche Kriegsmaterial fort-
zuschaffen oder zu vernichten; die gesamte deutsche Industrie, die
zur Kriegsproduktion gebraucht werden könnte, zu beseitigen oder
zu beaufsichtigen; alle Kriegsverbrecher den Gerichten und schneller
Bestrafung zuzuführen und sie zu genauen Ersatzleistungen in
natura für die von den Deutschen angerichteten Zerstörungen an-
zuhalten; die Nazipartei, Nazigesetze, -organisationen und -einrich-

tungen auszutilgen; alle nazistischen und alle militaristischen Einflüsse aus den öffentlichen Behörden und dem Kultur- und Wirtschaftsleben des deutschen Volkes zu entfernen und in gegenseitiger Übereinstimmung alle weiteren Maßnahmen in Deutschland zu ergreifen, die für den zukünftigen Frieden und die Weltsicherheit notwendig sein mögen.

Es ist nicht unsere Absicht, die Bevölkerung Deutschlands[3] zu vernichten; aber erst dann, wenn Nazismus und Militarismus ausgerottet sein werden, wird für Deutsche Hoffnung auf ein bescheidenes Leben im Kreis der Nationen bestehen.

Wir erörterten die Frage des Schadens, den Deutschland den alliierten Nationen in diesem Krieg zugefügt hat, und halten es für gerecht, Deutschland zu verpflichten, für den Schaden Ersatz in natura im größtmöglichen Umfange zu leisten.“

H. v. Mangoldt (Hg.), Kriegsdokumente über Bündnisgrundlagen, Kriegsziele und Friedenspolitik der Vereinten Nationen, Hamburg 1946, S. 36–39.

Die Zerstückelung Deutschlands wurde in Jalta insgeheim beschlossen:

5 „Es wurde beschlossen, daß Artikel 12 a) der Kapitulationsbedingungen für Deutschland folgendermaßen ergänzt werde: ‚Das Vereinigte Königreich, die Vereinigten Staaten von Amerika und die Union der Sozialistischen Sowjetrepubliken werden bezüglich Deutschlands höchste Machtvollkommenheit haben. In der Ausübung dieser Macht werden sie solche Maßnahmen treffen, einschließlich der völligen Entwaffnung, Entmilitarisierung und Zerstückelung, als sie für den künftigen Frieden und die Sicherheit für notwendig halten.‘ ...
Das vorstehende Protokoll wurde gebilligt und unterschrieben durch die drei Außenminister auf der Krimkonferenz, 11. Februar 1945.“

Protokoll der Krimkonferenz, veröffentlicht vom State Department der USA am 24. März 1947, vgl. Deuerlein, Die Einheit, ²I, S. 329.

Über die Reparationen Deutschlands einigten sich die Chefs der drei Regierungen in Jalta insgeheim:

6 „2. Deutschland soll Reparationen ... zahlen: ...
a) Nach Kriegsende soll Deutschland jährliche Lieferungen von

---

3 Der Text wurde nach dem englischen Original berichtigt. So heißt es an dieser Stelle: „the people of Germany“, wegen der tatsächlich in Jalta vereinbarten Teilung mit „Bevölkerung Deutschlands“ übersetzt. Am Ende des ersten Teils, wo von der unmittelbar bevorstehenden Niederwerfung Nazideutschlands als eines Einheitsstaates die Rede ist, steht ausdrücklich „the German people“, ebenso bei den zitierten Maßnahmen der Besatzungszeit.

Gütern aus der laufenden Produktion leisten, und zwar für eine noch festzusetzende Zeitperiode; b) Reparationen in Form von Arbeitsleistungen deutscher Arbeitskräfte ...

4. ... Die Moskauer Reparationskommission soll [nach Übereinkunft der sowjetrussischen und nordamerikanischen Vertreter] als Grundlage für ihre Besprechung den Vorschlag der Sowjetregierung annehmen, wonach die Gesamtsumme an Reparationen gemäß Ziffer a) [Industriematerial, Transportmaterial jeder Form, Auslandsinvestitionen und Aktien] und b) des Absatzes 2: 20 Milliarden Dollar betragen soll, wovon 50 v. H. an die Sowjetunion gehen sollen ...

gez. Churchill, Roosevelt, Stalin"

Protokoll, veröffentlicht von der sowjetischen TASS-Nachrichtenagentur am 18. März 1947, „Die Welt", 19. März 1947. Die Protokollfassung der USA enthält einen britischen Vorbehalt gegen die Nennung von Zahlen; vgl. Deuerlein, Die Einheit, ² I, S. 330.

Die sowjetrussische Meinung zur Einheit Deutschlands bekräftigte Stalin am 9. Mai 1945 unmittelbar nach der bedingungslosen Kapitulation der deutschen Wehrmacht:

7 „Die Sowjetunion feiert den Sieg, wenn sie sich auch nicht anschickt, Deutschland zu zerstückeln oder zu vernichten."

J. W. Stalin, Über den Großen Vaterländischen Krieg, Berlin 1951, S. 221 f.

Skeptische Prognose des US-amerikanischen Diplomaten und Sowjetexperten George F. Kennan (vgl. 30a, DP 30b, W 45, 50) vom Frühsommer 1945:

7a „Die Idee, Deutschland gemeinsam mit den Russen regieren zu wollen, ist ein Wahn. Ein ebensolcher Wahn ist es, zu glauben, die Russen und wir könnten uns eines schönen Tages höflich zurückziehen, und aus dem Vakuum werde ein gesundes und friedliches, stabiles und freundliches Deutschland steigen. Wir haben keine andere Wahl, als unseren Teil von Deutschland – den Teil, für den wir und die Briten die Verantwortung übernommen haben – zu einer Form von Unabhängigkeit zu führen, die so befriedigend, so gesichert, so überlegen ist, daß der Osten sie nicht gefährden kann. Das ist eine gewaltige Aufgabe für Amerikaner. Aber sie läßt sich nicht umgehen; und hierüber, nicht über undurchführbare Pläne für eine gemeinsame Militärregierung, sollten wir uns Gedanken machen. Zugegeben, daß das Zerstückelung bedeutet. Aber die Zerstückelung ist bereits Tatsache, wegen der Oder-Neiße-Linie. Ob das Stück Sowjetzone wieder mit Deutschland verbunden wird oder nicht, ist jetzt nicht wichtig. Besser ein zerstückeltes Deutschland, von dem wenigstens der westliche Teil als Prellbock für die Kräfte des Totalitarismus wirkt, als ein geeintes Deutschland, das diese Kräfte wieder bis an die Nordsee vorläßt ...

Im Grunde sind wir in Deutschland Konkurrenten der Russen. Wo es in unserer Zone um wirklich wichtige Dinge geht, sollten wir in der Kontrollkommission keinerlei Zugeständnisse machen."

George F. Kennan, Memoiren eines Diplomaten (Memoirs 1925–1950, Boston 1967), dt. Stuttgart 4 1968, S. 262 f.

II. Das Regime des Alliierten Kontrollrates für Deutschland

„Bedingungslose Kapitulation" – diese Forderung Roosevelts bestimmte seit der Konferenz von Casablanca im Januar 1943 (Stalingrad!) die Deutschlandpolitik der Alliierten. Die Formel entsprach der Ideologie Wilsons (W 51) und der Absicht aller alliierten Regierungen, die Deutsche Frage endgültig radikal zu beantworten.

War dies nach geltendem Völkerrecht möglich? Die Haager Landkriegsordnung war 1907 vereinbart worden, also noch vor dem Ersten Weltkrieg. Ihre Regelungen galten lediglich „für die kriegerische Besetzung, nicht dagegen für die sog. occupatio pacifica, d. h. die Besetzung nach Einstellung der Feindseligkeiten oder gar nach Friedensschluß" (E. Menzel 1962). Beide Weltkriege waren seitdem nicht als Kabinettskriege des 19. Jahrhunderts geführt worden, und besonders seit 1939 handelte es sich um einen ideologischen und totalen Krieg. Wegen ihrer Kriegsziele (Jalta 4–6) und der Erfahrungen seit 1918 (8) errichteten die Sieger deshalb ein neuartiges Besatzungsregime in Deutschland (9–11, vgl. die Behandlung bes. Polens, Jugoslawiens und der besetzten Gebiete der UdSSR 1939–1945!). Lediglich „für Besatzungszwecke" gingen die vier Siegermächte vom Gebietsstand Deutschlands am 31. Dezember 1937 aus (3). In der Charta der UN vom 26. Juni 1945 wurde die Ausnahmestellung Deutschlands völkerrechtlich festgelegt (W 8, Art. 53 und 107, vgl. unten 94–96!).

Hatte Deutschland als Staat aufgehört zu bestehen (12)? 1945 bejahten auf seiten der Siegermächte viele diese Frage. Die damaligen politischen Absichten und Entscheidungen muß der heutige Betrachter streng unterscheiden von jenen Rechtstheorien der Kontinuität, die seit 1947/48 vornehmlich in den Westzonen bzw. in der Bundesrepublik Deutschland über Deutschlands staatliche Existenz seit 1945 aufgestellt worden sind. Zur Frage der Kontinuität oder Diskontinuität vgl. R. Schuster 1963 und Lexika sowie Anm. 9! Vgl. Ansprüche des Bonner „Parlamentarischen Rates" (DP 20–27)!

Grundlagen und Ziele der Besetzung Deutschlands

Churchill deutete die Forderung nach bedingungsloser Kapitulation am 22. Februar 1944 im britischen Unterhaus:

8 „Wir werden keine Argumente zulassen, wie Deutschland sie nach dem letzten Krieg benutzte, indem es behauptete, man habe als Folge von Präsident Wilsons Vierzehn Punkten kapituliert. Bedingungslose Kapitulation bedeutet, daß die Sieger freie Hand haben ... Falls wir gebunden sein werden, dann sind wir es durch unsere Gewissensbindung an die Zivilisation."

H. Krüger, in: Dietrich Rauschning (Hg.), Die Gesamtverfassung Deutschlands. Nationale und Internationale Texte zur Rechtslage Deutschlands, Bd. 1 der Staatsverfassungen der Welt in Einzelausgaben, Frankfurt/M.-Berlin 1962, S. 8, Anm. 4.

In der Urkunde der bedingungslosen Kapitulation vom 8. Mai 1945
hieß es:

9 „1. Wir Endesunterzeichneten, die wir im Namen des deutschen
Oberkommandos handeln, erklären die bedingungslose Kapitulation aller unserer Streitkräfte zu Lande, zu Wasser und in der
Luft sowie aller übrigen Streitkräfte, die zur Zeit unter deutschem
Oberbefehl stehen, vor dem Oberkommando der Roten Armee und
gleichzeitig vor dem Oberkommando der Alliierten Expeditions-
streitkräfte ...
4. Diese Urkunde steht der Ersetzung durch ein anderes General-
dokument über die Kapitulation nicht im Wege, das von den Vereinten Nationen oder in deren Namen bezüglich Deutschlands und
seiner Streitkräfte im ganzen abgeschlossen wird ...
Unterzeichnet am 8. Mai 1945 in Berlin.
Im Namen des deutschen Oberkommandos:
gez. Keitel   Friedeburg   Stumpf"

Zwischen Krieg und Frieden. Eine Dokumentensammlung, Berlin ²1946, S. 59 f.

„**In Anbetracht der Niederlage Deutschlands und der Übernahme
der obersten Regierungsgewalt hinsichtlich Deutschlands**" erklär-
ten die Regierungen der vier Siegermächte (Frankreich Q 4!) am 5. Juni
1945 in Berlin „unbeschadet späterer Beschlüsse, die hinsichtlich Deutschlands getroffen werden mögen":

10 „Die Regierungen ... übernehmen hiermit die höchste Autorität hinsichtlich Deutschlands, einschließlich aller Machtvoll-
kommenheiten, die der deutschen Regierung, dem Oberkommando
der Wehrmacht und allen staatlichen, städtischen oder örtlichen Regierungen oder Behörden zustehen. Die Übernahme, zu den vor-
stehend genannten Zwecken, der besagten Autorität und Machtvollkommenheit bewirkt nicht die Annektierung Deutschlands.
Die Regierungen ... werden später die Grenzen Deutschlands und
die rechtliche Stellung Deutschlands oder irgendeines Gebietes, das
gegenwärtig einen Teil deutschen Gebietes bildet, festlegen ...
Art. 13 a) In Ausübung der höchsten Autorität hinsichtlich Deutschlands ... werden die vier Alliierten Regierungen diejenigen Maßnahmen treffen, die sie zum künftigen Frieden und zur künftigen
Sicherheit für erforderlich halten, darunter auch die vollständige
Abrüstung und Entmilitarisierung Deutschlands. b) Die Alliierten
Regierungen werden Deutschland zusätzliche politische, verwal-
tungsmäßige, wirtschaftliche, finanzielle, militärische und sonstige
Forderungen auferlegen, die sich aus der vollständigen Niederlage
Deutschlands ergeben ..." *Zwischen Krieg und Frieden, a. a. O., S. 61 f., 67 f.*

Das Kontrollverfahren in Deutschland regelte eine weitere Erklärung der vier Siegermächte vom 5. Juni 1945:

11 „1. Während der Zeit, in der Deutschland die sich aus der bedingungslosen Kapitulation ergebenden grundlegenden Forderungen erfüllt, wird in Deutschland die oberste Gewalt von den Oberbefehlshabern Großbritanniens, der Vereinigten Staaten, Sowjetrußlands und Frankreichs auf Anweisung ihrer Regierungen ausgeübt, von jedem in seiner eigenen Besatzungszone und gemeinsam in allen Deutschland als Ganzes betreffenden Angelegenheiten. Die vier Oberbefehlshaber bilden zusammen den Kontrollrat ...
2. Der Kontrollrat, dessen Entscheidungen einstimmig getroffen werden müssen, trägt für eine angemessene Einheitlichkeit des Vorgehens der einzelnen Oberbefehlshaber in ihren entsprechenden Besatzungszonen Sorge und trifft im gegenseitigen Einvernehmen Entscheidungen über alle Deutschland als Ganzes betreffenden wesentlichen Fragen ...
7. Die Verwaltung des Gebietes von Groß-Berlin wird von einer Interalliierten Behörde geleitet, die unter der Leitung des Kontrollrates arbeitet und aus vier Kommandanten besteht, deren jeder abwechselnd als Hauptkommandant fungiert ...
8. Die oben dargelegte Regelung gilt für die der deutschen Kapitulation folgende Besatzungszeit, innerhalb welcher Deutschland die sich aus der bedingungslosen Kapitulation ergebenden grundlegenden Forderungen erfüllt. Eine Regelung für die darauffolgende Zeit wird Gegenstand einer Sondervereinbarung bilden."

J. Hohlfeld, Dokumente der Deutschen Politik und Geschichte von 1848 bis zur Gegenwart, Berlin o. J., Bd. VI, S. 8 f.

Deutschland als „herrenloses Gebiet". Ein Rechtsberater des Militärgouverneurs der französischen Besatzungszone in Deutschland urteilte:

12 „Das Hauptziel der deutschen Okkupation von 1945 ist die Vernichtung des vorangegangenen Regimes bis in seine psychologischen Wurzeln und die Schaffung aller notwendigen Voraussetzungen für die Errichtung eines demokratischen Regimes. Nur mit der Erreichung dieses politischen Zieles kann die Okkupation ihr Ende finden, nicht aber einfach mit dem Eintritt eines Ereignisses wie der militärischen Niederlage oder eines nur nach außen wirkenden Rechtsaktes wie eines Friedensvertrages. Gewiß ist auch die gegenwärtige Okkupation Deutschlands ein Regime des Übergangs. Sie unterscheidet sich jedoch von dem klassischen Okkupationsregime ebensosehr wie eine Revolution von einem Interregnum. Es handelt sich um ein Regime ganz eigenen Gepräges, das auf ein bestimmtes Ziel scharf ausgerichtet und das seinem Wesen nach – infolge unbedingter Abhängigkeit von historischen Gegebenheiten – grundverschieden von jedem anderen, bisher bekannten Okkupationsregime ist.

Die Aufgaben, die diesem Regime zugewiesen sind, bringen Notwendigkeiten mit sich, die es in der Tat zu vielen Haager Bestimmungen in einen direkten Gegensatz stellen. Die Haager Landkriegsordnung beschränkte die Befugnisse der Besatzungsmacht auf die Verwaltung des Landes; seit 1945 geht es aber für die Alliierten darum, internationale Ziele von revolutionierender Bedeutung zu verwirklichen. Jene Ordnung legte der Besatzungsmacht die Verpflichtung auf, die Gesetze des Landes zu respektieren; die alliierten Besatzungsmächte wollen dagegen die deutsche Gesetzgebung systematisch reformieren, um sie mit einem neuen Geist zu erfüllen und um alle nazistisch inspirierten Gesetze aufzuheben. Die Normen von 1907 statuierten den Schutz der Individualrechte und des Privateigentums; die alliierten Besatzungsmächte dagegen gehen darauf aus, die Kriegsverbrecher strafrechtlich zu verfolgen und zu verurteilen, die Rechte und Möglichkeiten der einflußreichen Nazis zu beschränken ... Der Grundbesitz des feindlichen Staates mußte früher nach den Grundsätzen des Nießbrauchs verwaltet werden; jetzt müssen alle Denkmäler nazistischen und militaristischen Charakters zerstört werden, selbstverständlich auch alle militärischen Anlagen und Befestigungen ...

Deutschland sah sich also von dem Augenblick an, in dem seine Regierung die Gewalt über das Land verlor, ohne irgendwelche politischen Organe den alliierten Heeren gegenüber. Es war eine ‚res nullius'. Seit diesem Zeitpunkt besaßen die Alliierten die Machtvollkommenheit zur Ausübung von Befugnissen, die viel weiter reichten, als die der Besatzungsmacht auf feindlichem Gebiet, da diese durch die Rechte der legalen Regierung eingeschränkt sind. Eine legale Regierung in Deutschland gab es aber eben nicht. Wir haben es also eigentlich mit der Besetzung herrenlosen Gebietes zu tun, über das sich vom Augenblick der effektiven Besetzung an die Souveränität der Okkupationsmacht uneingeschränkt entfalten kann. In diesem Umstand finden die Maßnahmen, die die Alliierten nach dem 13. September 1944 je nach dem Stande ihres Vormarsches auf deutschem Gebiet getroffen haben, ihre Erklärung. Diese Maßnahmen mußten später bestätigt werden, und zwar auf Grund des endgültigen Okkupationsregimes, wie es nach der Auflösung der in Flensburg nach dem Tode Hitlers errichteten Zentralregierung, in der die Alliierten nur eine neue Repräsentantin des Nationalsozialismus erblickten, festgelegt wurde." *Michael Virally, Die internationale Verwaltung Deutschlands vom 8. Mai 1945 bis 24. April 1947, Baden-Baden 1948, S. 17, 29.*

Der Kompromiß auf der Potsdamer Konferenz

Die Regierung jeder Siegermacht hatte bestimmte Vorstellungen über die Art entwickelt, wie Deutschland behandelt werden sollte. Über das bloß Negative (Demontagen usw.) hinaus scheinen die Planungen der UdSSR und der USA am ehesten zukünftige Entwicklungen berücksichtigt zu haben. Die Grundkonzeptionen beider Mächte unterschieden sich nach den herrschenden Geschichtsbildern und Staatsauffassungen. Wer das deutsche Volk insgesamt oder in seiner Mehrheit für verantwortlich hielt, konnte nur mißtrauisch und zögernd neuen Aktivitäten der Besiegten begegnen. Wer das Gesellschaftssystem für entscheidend hielt, mußte es so radikal und so weitreichend wie möglich verändern; zugleich konnte er der besiegten Bevölkerung einen großen politischen Spielraum lassen, so lange die Grundvoraussetzungen gewahrt blieben. Wer bestimmte Organisationsformen des Staates und der Wirtschaft für das Wesentliche hielt, mußte hier prägend einwirken; zugleich konnte er so möglichen Gegenzügen anderer Mächte begegnen.

Bereits mehrere Wochen vor der endgültigen Kapitulation waren derartige Unterschiede auf seiten der Alliierten hervorgetreten. Die USA hatten ihre Verbündeten nicht davon zu überzeugen vermocht, daß ihre Direktive den Interessen aller Sieger entsprach. Deshalb galt sie nur für die US-Zone (JCS 1067/6, April 1945 USA). Seit Ende März 1945 gaben die Sowjets Maßnahmen bekannt oder veranlaßten sie, denen die Westmächte widersprachen oder die sie völlig überraschten (13). Als schließlich für alle entscheidenden Probleme, nicht nur über Deutschland, im Juli verhandelt werden sollte, wurde Frankreich als vierte Besatzungsmacht nicht eingeladen.

Auf der Gipfelkonferenz in Potsdam traten die unterschiedlichen Ziele der Westmächte und der UdSSR deutlich zutage. Was wollte die UdSSR mit ihrem Mitsprachewunsch an der Ruhr[3a] erreichen (14)? Wollte sie westlich über jene Interessengrenze hinausgreifen, die ihr nach dem endgültigen Austausch der Besatzungsgebiete in Deutschland Anfang Juli eingeräumt worden war? Konnte man sich überhaupt einigen? Erkauften die Westmächte ihre Alleinherrschaft in den Westzonen mit einem Verzicht, die SBZ mitzukontrollieren (E. Krautkrämer)?

Der Bericht über die einzelnen Übereinkünfte (15, es handelt sich nicht um ein „Potsdamer Abkommen"!) gibt Kompromisse wieder; jede Abmachung läßt sich auf die unterschiedlichen Interessen der drei Mächte zurückführen. Vermutlich wäre es überhaupt nicht zu Einigungen über Deutschland gekommen, wenn General de Gaulle an den Beratungen teilgenommen hätte (17–18). Nichtsdestoweniger hat seitdem jede Großmacht die Formulierungen der Vereinbarungen von Potsdam benutzt, um eigene Entscheidungen zu rechtfertigen und um nachzuweisen, der Gegenspieler habe die Abmachungen verletzt.

3a Alle Siegermächte und die Besiegten bewerteten das Ruhrgebiet als ökonomisch und strategisch wesentlich für Deutschland und Westeuropa (vgl. 20–30, 35). Diese Beurteilung änderte sich erst seit der Umstrukturierung der Energieversorgung (Heizöl, Atom-Kraftwerke und Absatzkrisen des Steinkohlebergbaus) sowie dem damit zusammenhängenden Aufschwung neuer Industriezweige (etwa Elektronik), die – im Unterschied zu den

Entscheidungen und Genehmigungen der UdSSR in der SBZ vor dem Abschluß der Potsdamer Konferenz:

13 März 1945 Gebiete östlich von Oder und Neiße an Polen übergeben.

10. Juni 1945 Befehl: „die Bildung und Tätigkeit aller antifaschistischen Parteien zu erlauben, die sich die endgültige Ausrottung der Überreste des Faschismus und die Festigung der Grundlage der Demokratie und der bürgerlichen Freiheiten in Deutschland und die Entwicklung der Initiative und Selbstbetätigung der breiten Massen der Bevölkerung in dieser Richtung zum Ziel setzten ... Der werktätigen Bevölkerung ... ist das Recht der Vereinigung in freien Gewerkschaften ... zu gewährleisten."

19. Juni 1945 Gemeinsamer Zentraler Arbeitsausschuß von KPD und SPD gebildet.

14. Juli 1945 KPD, SPD, CDU und LPD bilden „feste Einheitsfront".

27. Juli 1945 „Zwecks Entwicklung und Wiederherstellung des Verkehrs- und Nachrichtenwesens, der Gesundheitsfürsorge und Volkserziehung in der SBZ" werden zum 10. August 1945 entsprechende deutsche Zentralverwaltungen gebildet.

B. Ruhm von Oppen (Hg.), Documents on Germany under Occupation 1945–1954, London 1955, S. 37; Percy Stulz – Siegfried Thomas (Hg.), Die DDR auf dem Weg zum Sozialismus, Teil I (1945–1949), Berlin-Ost 1959, S. 44, 60, 56, 57.

Mitbestimmung im Ruhrgebiet. Folgender Antrag der UdSSR wurde am 30. Juli 1945 in Potsdam von den Westmächten nicht unterstützt:

14 „Im Hinblick auf die Notwendigkeit einer umfassenden Einschränkung von Deutschlands Kriegspotential hält es die Konferenz bezüglich des Ruhrgebietes als eines Teiles von Deutschland für angebracht:
1. zu beschließen, daß das Ruhrindustriegebiet hinsichtlich seiner Verwaltung unter der gemeinsamen Kontrolle der USA, des Vereinigten Königreichs, der UdSSR und Frankreichs stehen soll.
2. Die Verwaltung des Ruhrindustriegebiets soll durch einen Alliierten Rat erfolgen, der sich aus Vertretern des Vereinigten Königreichs, der USA, der UdSSR und Frankreichs zusammensetzt."

Department of State, Washington: Foreign Relations of the United States, Diplomatic Papers: The Conference of Berlin 1945, Washington 1960, Bd. II, S. 1000 f., zit. bei W. Marienfeld, S. 290.

klassischen Grundstoffindustrien Kohle und Stahl – kaum an naturgegebene Standorte gebunden sind.

Die Vereinbarungen der Potsdamer Konferenz. Die Presseverlautbarung über die Dreimächte-Konferenz wurde den Deutschen in einer fehlerhaften Übersetzung mitgeteilt. Der Text des Kommuniqués unterscheidet sich mehrfach von den englischsprachigen und den russischen Verhandlungsprotokollen; diese wurden teils erst Jahre später veröffentlicht. Auf einige unterschiedlichen Formulierungen – auch wegen der Deutungen – wird hier anmerkungsweise hingewiesen.

15 „II. Die Einrichtung eines Rates der Außenminister . . ., bestehend aus den Außenministern des Vereinigten Königreiches, der Union der Sozialistischen Sowjetrepubliken, Chinas, Frankreichs und der Vereinigten Staaten von Amerika . . .
3. Der Rat wird zur Vorbereitung einer friedlichen Regelung für Deutschland benutzt werden, damit das entsprechende Dokument durch die für diesen Zweck geeignete Regierung Deutschlands angenommen werden kann, nachdem eine solche Regierung gebildet sein wird . . .
III. Deutschland.
Alliierte Armeen führen die Besetzung von ganz Deutschland durch, und das deutsche Volk fängt an, die furchtbaren Verbrechen zu büßen, die unter der Leitung derer, welche es zur Zeit ihrer Erfolge offen gebilligt hat und denen es blind gehorcht hat, begangen wurden. Auf der Konferenz wurde eine Übereinstimmung erzielt über die politischen und wirtschaftlichen Grundsätze der gleichgeschalteten Politik der Alliierten in bezug auf das besiegte Deutschland in einer Epoche der alliierten Kontrolle.
Das Ziel dieser Übereinkunft bildet die Durchführung der Krim-Deklaration über Deutschland. Der deutsche Militarismus und Nazismus werden ausgerottet, und die Alliierten treffen nach gegenseitiger Vereinbarung in der Gegenwart und in der Zukunft auch andere Maßnahmen, die notwendig sind, damit Deutschland niemals mehr seine Nachbarn oder die Erhaltung des Friedens in der ganzen Welt bedrohen kann.
Es ist nicht die Absicht der Alliierten, das deutsche Volk zu vernichten oder zu versklaven. Die Alliierten wollen dem deutschen Volk die Möglichkeit geben, sich darauf vorzubereiten, sein Leben auf einer demokratischen und friedlichen Grundlage von neuem wiederaufzubauen. Wenn die eigenen Anstrengungen des deutschen Volkes unablässig auf die Erreichung dieses Zieles gerichtet sein werden, wird es ihm möglich sein, zu gegebener Zeit seinen Platz unter den freien und friedlichen Völkern der Welt einzunehmen.
Der Text dieser Übereinkunft lautet:
‚Politische und wirtschaftliche Grundsätze, denen man sich bei der Behandlung Deutschlands in der Anfangsperiode der Kontrolle bedienen muß:

A. Politische Grundsätze

1. Entsprechend der Übereinkunft über das Kontrollsystem in Deutschland wird die höchste Regierungsgewalt in Deutschland durch die Oberbefehlshaber der Streitkräfte der Vereinigten Staaten von Amerika, des Vereinigten Königreichs, der UdSSR und der Französischen Republik nach den Weisungen ihrer entsprechenden Regierungen ausgeübt, und zwar von jedem in seiner Besatzungszone, sowie gemeinsam in ihrer Eigenschaft als Mitglieder des Kontrollrates in den Deutschland als Ganzes betreffenden Fragen.

2. Soweit dieses praktisch durchführbar ist, muß die Behandlung der deutschen Bevölkerung in ganz Deutschland gleich sein.

3. Die Ziele der Besetzung Deutschlands, durch welche der Kontrollrat sich leiten lassen soll, sind:

(I) Völlige Abrüstung und Entmilitarisierung ...

(II) Das deutsche Volk muß überzeugt werden, daß es eine totale militärische Niederlage erlitten hat und daß es sich nicht der Verantwortung entziehen kann für das, was es selbst dadurch auf sich geladen hat, daß seine eigene mitleidlose Kriegführung und der fanatische Widerstand der Nazis die deutsche Wirtschaft zerstört und Chaos und Elend unvermeidlich gemacht haben ...

(IV) Die endgültige Umgestaltung des deutschen politischen Lebens auf demokratischer Grundlage und eine eventuelle friedliche Mitarbeit Deutschlands[4] am internationalen Leben sind vorzubereiten.

4. Alle nazistischen Gesetze ... müssen abgeschafft werden ...

5. Kriegsverbrecher ... sind zu verhaften und dem Gericht zu übergeben. Nazistische Parteiführer, einflußreiche Nazianhänger ... und alle anderen Personen, die für die Besetzung und ihre Ziele gefährlich sind, sind zu verhaften und zu internieren ...

7. Das Erziehungswesen in Deutschland muß so überwacht werden, daß die nazistischen und militaristischen Lehren völlig entfernt werden und eine erfolgreiche Entwicklung der demokratischen Ideen möglich gemacht wird.

8. Das Gerichtswesen wird entsprechend den Grundsätzen der Demokratie und der Gerechtigkeit auf der Grundlage der Gesetzlichkeit und der Gleichheit aller Bürger vor dem Gesetz ... reorganisiert werden.

9. Die Verwaltung Deutschlands muß in Richtung auf eine Dezentralisation der politischen Struktur und der Entwicklung einer örtlichen Selbstverantwortung durchgeführt werden ...

---

4 Engl. Text: "and for eventual peaceful cooperation in international life by Germany". Im Dt. heißt "eventuell": möglicherweise, vielleicht eintretend; im Engl. außerdem noch: schließlich, letzten Endes eintretend.

(IV) Bis auf weiteres wird keine zentrale deutsche Regierung errichtet werden. Jedoch werden einige wichtige zentrale deutsche Verwaltungsabteilungen errichtet werden, an deren Spitze Staatssekretäre stehen, und zwar [engl.: particularly!] auf den Gebieten des Finanzwesens, des Transportwesens, des Verkehrswesens, des Außenhandels und der Industrie. Diese Abteilungen werden unter der Leitung des Kontrollrates tätig sein.

10. Unter Berücksichtigung der Notwendigkeit zur Erhaltung der militärischen Sicherheit wird die Freiheit der Rede, der Presse und der Religion gewährt. Die religiösen Einrichtungen sollen respektiert werden. Die Schaffung Freier Gewerkschaften ... wird gestattet werden.

B. Wirtschaftliche Grundsätze

11. Mit dem Ziele der Vernichtung des deutschen Kriegspotentials ist die Produktion von Waffen, Kriegsausrüstung und Kriegsmitteln, ebenso die Herstellung aller Typen von Flugzeugen und Seeschiffen zu verbieten ... Die Produktionskapazität, entbehrlich für die Industrie, welche erlaubt sein wird, ist entsprechend dem Reparationsplan ... entweder zu entfernen oder ... zu vernichten.

12. In praktisch kürzester Frist ist das deutsche Wirtschaftsleben zu dezentralisieren mit dem Ziel der Vernichtung der bestehenden übermäßigen Konzentration der Wirtschaftskraft, dargestellt insbesondere durch Kartelle, Syndikate, Trusts und andere Monopolvereinigungen.

13. Bei der Organisation des deutschen Wirtschaftslebens ist das Hauptgewicht auf die Entwicklung der Landwirtschaft und der Friedensindustrie für den inneren Bedarf (Verbrauch) zu legen.

14. Während der Besatzungszeit ist Deutschland als eine wirtschaftliche Einheit zu betrachten ...

15. Es ist eine alliierte Kontrolle über das deutsche Wirtschaftsleben zu errichten ...

19. Die Bezahlung der Reparationen soll dem deutschen Volke genügend Mittel belassen, um ohne Hilfe von außen zu existieren ...

IV. Reparationen aus Deutschland ...

1. Die Reparationsansprüche der UdSSR sollen durch Entnahme aus der von der UdSSR besetzten Zone in Deutschland ... befriedigt werden.

2. Die UdSSR wird die Reparationsansprüche Polens aus ihrem eigenen Anteil an den Reparationen befriedigen ...

V. Die deutsche Kriegs- und Handelsmarine ...

VI. Stadt Königsberg und das anliegende Gebiet ...

Die Konferenz hat grundsätzlich dem Vorschlag der Sowjetregierung hinsichtlich der endgültigen[5] Übergabe der Stadt Königsberg

22

und des anliegenden Gebiets an die Sowjetunion ... zugestimmt ...
Der Präsident der USA und der britische Premierminister haben
erklärt, daß sie den Vorschlag der Konferenz bei der bevorstehenden
Friedensregelung unterstützen werden.
VII. Kriegsverbrecher ...
VIII. Österreich ...
IX. Polen ...
b) Bezüglich der Westgrenze Polens wurde folgendes Abkommen
erzielt: In Übereinstimmung mit dem bei der Krim-Konferenz erzielten Abkommen haben die Häupter der drei Regierungen die
Meinung der Polnischen Provisorischen Regierung ... hinsichtlich
des Territoriums im Norden und Westen geprüft, das Polen erhalten
soll ... Die Häupter der drei Regierungen bekräftigen ihre Auffassung, daß die endgültige Festlegung der Westgrenze Polens bis
zu der Friedenskonferenz zurückgestellt werden soll ... [Sie] stimmen darin überein, daß bis zur endgültigen Festlegung der Westgrenze Polens die früher deutschen Gebiete östlich der Linie, die von
der Ostsee unmittelbar westlich von Swinemünde und von dort die
Oder entlang bis zur Einmündung der westlichen Neiße und die
westliche Neiße entlang bis zur tschechoslowakischen Grenze ver-
läuft, einschließlich des Teils Ostpreußens, der nicht unter die Verwaltung der UdSSR ... gestellt wird, und einschließlich des Gebiets
der früheren Freien Stadt Danzig unter die Verwaltung des polnischen Staates kommen und in dieser Hinsicht nicht als Teil der
sowjetischen Besatzungszone in Deutschland betrachtet werden
sollen ...
XIII. Ordnungsmäßige Überführung[6] deutscher Bevölkerungsteile...

5 „Da im russischen Urtext und in der amtlichen französischen Übersetzung nur von ein-
facher Übergabe ... die Rede ist, während der englische Urtext von endgültiger bzw.
endlicher Übergabe spricht, ... [entspricht] ,Übergabe' ... der in Potsdam getroffenen
Regelung mehr." Boris Meissner, Das Ostpakt-System, 1958, S. 112, Anm. 4.
6 Johannes Maass verweist auf den engl. bzw. russ. Urtext. Im engl. Text: „removal"
= Rückführung, im russ. Text „wiseddlenije" = Aussiedlung. – Ferner geht Maass auf
die polnische Deutung des Übereinkommens ein: Polen gehe davon aus, daß in Potsdam
kein Provisorium geschaffen worden sei; der späteren Friedenskonferenz sei lediglich
die Aufgabe zugedacht gewesen, die „meritorischen" Beschlüsse feierlich zu bestätigen. In
der Interpretation des Potsdamer Textes stütze sich die polnische Auffassung dabei auf
den Gebrauch der Worte „Zuwachs", „Grenze", „frühere deutsche Gebiete" und „frühere
Freie Stadt Danzig". Weiter bedeute die Herausnahme dieser Gebiete aus der Militär-
verwaltung eine Willenserklärung mit der Absicht endgültiger Überlassung, sonst hätte
man eine fünfte Besatzungszone eingerichtet; mindestens bedeute sie einen „cessio in favo-
rem tertii". Weiter sei durch die Umsiedlungsvorschriften des Teils XIII die polnische
Souveränität unterstrichen. Der Bezug auf eine Handlung „unter Druck" der Westmächte
in Potsdam und die rein formale Grenzbestätigung durch eine zukünftige Friedenskonferenz stellten nur eine staatsrechtlich unerhebliche „reservatio" dar. Johannes Maass, Zur
Geschichte der Volksrepublik Polen, Beilage „Aus Politik und Zeitgeschichte", Das Parlament, 26. April 1961, S. 230 f., Anm. 9. und 10.

Die drei Regierungen ... erkennen an, daß die Überführung der deutschen Bevölkerung oder Bestandteile derselben, die in Polen, Tschechoslowakei und Ungarn zurückgeblieben sind, nach Deutschland durchgeführt werden muß. Sie stimmen darin überein, daß jede derartige Überführung, die stattfinden wird, in ordnungsgemäßer und humaner Weise erfolgen soll ...
2. August 1945.'
(Dieser Bericht ist von J. W. Stalin, Harry S. Truman und C. R. Attlee unterzeichnet.) ...‘   *D. Rauschning, a. a. O., S. 97–105.*

Ordnen Sie die einzelnen Bestimmungen der Potsdamer Übereinkünfte nach folgenden Gesichtspunkten:
> Bestimmungen über einen Friedensvertrag für Deutschland
> Ziele der Siegermächte in Deutschland
> Etappen der Kontrolle in Deutschland
> Bestimmungen für die Anfangsperiode der Kontrolle
> > Grundsätze (politisch – wirtschaftlich)
> > Reparationen
> Territoriale Regelungen

Vergleichen Sie die Übereinkommen von Jalta und Potsdam (4–6)! Übereinstimmungen? Abweichungen? Konkretisierungen?

Was spricht im Potsdamer Text dafür, daß die drei Siegermächte ein verkleinertes Rumpfdeutschland als Einheit aufrechterhalten wollten? Was dagegen? – Für welche Zeiträume lassen sich derartige Zielsetzungen festlegen? Nur für die erste Etappe der Besatzungszeit? – Welche Grundsätze sind unterschiedlich auslegbar – je nach den „Staatsphilosophien" der einzelnen Siegermächte?

Entscheidungen in der SBZ nach dem Abschluß der Potsdamer Konferenz:

16 3. September 1945 Verordnung über die Bodenreform in der Provinz Sachsen

28. Oktober 1945 „Beschluß der Landesverwaltung Sachsen über die Enteignung des Kriegsverbrechers Flick"

30. Oktober 1945 Befehl zur Beschlagnahme „einiger Eigentumskategorien"

30. Juni 1946 Volksentscheid im Land Sachsen stimmt dem „Gesetz über die Übergabe von Betrieben von Kriegs- und Naziverbrechern in das Eigentum des Volkes" zu.

Stulz-Thomas (Hg.), Die DDR auf dem Weg zum Sozialismus, I, S. 78, 93, 94, 95 f.

In der US-Zone wurden deutsche Parteien auf Landesebene erst Ende November 1945 gestattet, in der britischen Zone ab Oktober 1945, in der französischen Zone erst 1946.

Die Stellungnahme der Regierung de Gaulle zu den Potsdamer Vereinbarungen enthielt u. a. ein Memorandum der französischen Delegation, das dem Rat der Außenminister in London am 14. September 1945 vorgelegt wurde:

17 „Die provisorische Regierung hat in ihrer Antwort auf die Mitteilung des ... [Potsdamer] Übereinkommens weiter betont, daß diese Maßnahmen eine zukünftige Entwicklung Deutschlands zu präjudizieren scheinen, von der sich im gegenwärtigen Augenblick noch unmöglich erkennen läßt, ob sie den Interessen des europäischen Friedens und den Wünschen der jeweils interessierten Bevölkerung selbst entspricht.

Tatsächlich gibt sie für ihr Teil ihre volle Zustimmung zu dem Prinzip, das ... über die Behandlung, die für die Kontrolle Deutschlands maßgebend sein soll, ausgesprochen wird, demzufolge ‚die Verwaltung der deutschen Angelegenheiten auf die Dezentralisierung der politischen Struktur und die Entwicklung der örtlichen Verantwortung gerichtet sein soll‘. Sie ist der Ansicht, daß es heute verfrüht ist und daß es für eine gewisse Zeit zu gewagt bleiben wird, die Möglichkeiten politischer Aufspaltung Deutschlands zu präjudizieren; daß gewisse Formeln der Dezentralisierung dazu angetan sind, nicht nur administrative, sondern politische Wirkungen hervorzurufen; daß eine Teilung Deutschlands in mehrere Staaten, wenn sie die Folge einer natürlichen Entwicklung und nicht einer auferlegten Lösung sein würde, für die Aufrechterhaltung der Sicherheit in Europa günstig wäre.

Aus diesen Gründen bedauert sie, daß der gleiche Abschnitt [III 9 (IV)] bereits jetzt die Eventualität der Wiederherstellung einer deutschen Zentralregierung, die Schaffung von zentralen Verwaltungsstellen unter deutscher Leitung und die Wiederherstellung politischer Parteien für ganz Deutschland vorsieht, lauter Maßnahmen, die geeignet sind, die deutschen Einheitsbestrebungen neu zu beleben und die Rückkehr zu einer Form des zentralisierten deutschen Staates zu begünstigen. Ganz besonders würde sie es bedauern, wenn die alliierten Behörden bereits jetzt ihre eigene Kontrolle, die nicht präjudiziert, durch diejenige zentraler Verwaltungen unter deutscher Leitung mit Sitz in Berlin ersetzen würde, die wie die erste Kundgebung eines Wiedererstehens des Reiches erscheinen würde.

Im übrigen hat die provisorische Regierung die Tatsache beachtet, daß gemäß dem Wortlaut des Potsdamer Kommuniqués die östlich einer bestimmten Linie gelegenen Gebiete der Verwaltung des polnischen Staates übergeben werden ... Dadurch sind diese Gebiete bereits jetzt der Autorität des sowjetischen Oberkommandierenden in Deutschland und der interalliierten Kontrolle in Berlin entzogen.

Mit um so mehr Grund würden sie der Zuständigkeit der zukünftigen deutschen Zentralverwaltung entgehen.
Die provisorische Regierung erhebt a priori keine Einwendungen gegen eine solche Bestimmung . . . Nun hat aber die provisorische Regierung öffentlich unterstrichen, von welch überragender Bedeutung es nach ihrer Ansicht ist, daß das rheinisch-westfälische Gebiet in der Zukunft nicht mehr für Deutschland eine Waffenkammer, eine Durchmarschzone oder einen Ausgangspunkt zum Angriff auf seine westlichen Nachbarn bilden kann. Sie ist der Ansicht, daß die endgültige Abtrennung dieses Gebiets, einschließlich der Ruhr, von Deutschland, die für die Deckung der französischen Grenze unerläßlich ist, außerdem die wesentliche Voraussetzung für die Sicherheit Europas und der Welt darstellt. Sie erachtet es somit für notwendig, daß, wenn deutsche Zentralverwaltungen errichtet werden sollen, gleichzeitig ausdrücklich angegeben wird, daß das rheinisch-westfälische Gebiet ihrer Zustimmung entzogen sein wird . . ."

Europa-Archiv, Jg. 1954, S. 6747.

General de Gaulles Bedenken gegen eine Einheit Deutschlands.
Der Chef der französischen Regierung äußerte sich gegenüber dem Botschafter der USA, Jefferson Caffery; dieser berichtete am 3. November 1945 nach Washington, der General sei fest überzeugt,

18 „daß jede in Deutschland eingerichtete zentrale Regierung unausweichlich in die Hände der Russen fallen und auf eine Restaurierung und Erstarkung Deutschlands hinauslaufen würde". Es „würde mit Sicherheit schließlich nach Frankreich einfallen . . ., und ganz Europa wäre russisch".

Meldung der Associated Press, Frankfurter Rundschau, 23. April 1968, S. 4.

Die Tätigkeit des Alliierten Kontrollrats in Berlin:

19 22. September 1945 und auf folgenden Sitzungen französisches Veto gegen die Beteiligung Deutscher an einer gemeinsamen Verkehrsabteilung des Kontrollrates für Rumpfdeutschland.
20. November 1945 Plan für die Umsiedlung der ausgewiesenen ostdeutschen Bevölkerung in die vier Besatzungszonen gebilligt.
20. November 1945 Sowjetmarschall Schukow protestiert gegen die mangelnde Entmilitarisierung in der britischen Besatzungszone.
30. Juni 1946 Demarkationslinie SBZ-Westzonen gesperrt.

Lucius D. Clay, Entscheidung in Deutschland, dt. Frankfurt/M. 1950, S. 128 f.; Hohlfeld (Hg.), Bd. VI, S. 58; Karl Bittel (Hg.), Alliierter Kontrollrat und Außenminister-Konferenzen. Aus der Praxis der vier Mächte seit 1945, Kleine Dokumentensammlung, Berlin-Ost 1959, S. 81 f.; R. Thilenius, Die Teilung Deutschlands. Eine zeitgeschichtliche Analyse, Hamburg 1957, S. 147.

III. Die europäische Sicherheit und die Deutsche Frage

Entsprechend dem Auftrag der Regierungschefs (15 : II) bemühten sich die Außenminister seit September 1945, Friedensverträge zu vereinbaren. Nach dem Sieg über Japan wirkten sich die Spannungen stark aus, die zwischen den Westmächten und der UdSSR bestanden. Sie reichten vom Nordmeer (Spitzbergen), der Ostsee (Baltikum, Bornholm, Polen), dem Ruhrgebiet über den Balkan (Freie Wahlen, Aufstand in Griechenland) und die Türkei (Dardanellen, Ostprovinzen) bis nach dem Iran (aufgeteilt in britisches und sowjetisches Besatzungsgebiet). Begann hier überall die weitere Expansion des Sowjetimperialismus?

Durchaus nicht alle westlichen Politiker und Militärs unterstellten der UdSSR derartige Tendenzen. Nach dem Scheitern der Pariser Konferenz (11. September bis 2. Oktober 1945) sprachen sich konservative Politiker in Westeuropa und den USA dafür aus, der sowjetrussischen Politik zu begegnen (20). Offensichtlich betrachteten die Siegermächte ihre Streitkräfte in Deutschland und Österreich jetzt nicht mehr nur als Besatzungstruppen, sondern zugleich als strategische Sicherungen gegenüber dem Partner im Osten oder Westen.

Gegen Ende des Winters 1945/46 schlug US-General Clay dem Department of State vor, Deutschland so weiträumig und so schnell wie möglich zu demokratisieren, d. h. gegen den Kommunismus zu immunisieren (21). Auf den folgenden Konferenzen der Außenminister ging es den USA seit Frühjahr 1946 vornehmlich darum, die Friedensverträge mit den ehemaligen Verbündeten des Reiches fertigzustellen. Die Probleme der Deutschen Frage teilten sie in mehrere Komplexe auf. Unter dem Gesichtspunkt der europäischen Sicherheit wollten sie die Entwaffnung und Kontrolle Deutschlands regeln. Fragen der politischen und wirtschaftlichen Struktur sollten gesondert behandelt werden. Die Sicherheit betreffend, schien eine Einigung am ehesten möglich zu sein. Doch wer so argumentierte, berücksichtigte zweierlei nicht: Einmal enthielt jeder Friedensvertrag mit den Satelliten Deutschlands Bestimmungen zur inneren Verfassung der Staaten (32), zum anderen achten gerade Marxisten-Leninisten auf Zusammenhänge zwischen Gesellschaftsstruktur und Außenpolitik eines Staates.

Auf den Konferenzen (25. April bis 15. Mai und 15. Juni bis 12. Juli 1946) setzten sich die Außenminister mit den Konzeptionen der jeweiligen Gegenseite scharf auseinander. Dabei griffen sie in Kontroversen und Vorschlägen immer wieder auf jene Formulierungen zurück, die im vergangenen Jahr in Jalta, Berlin und Potsdam gemeinsam vereinbart worden waren. Sie stellten die Formeln den tatsächlichen Entwicklungen in den Besatzungszonen gegenüber. Zugleich nannte jede Seite Trümpfe, die sie gegen die andere Seite im Streit um die deutsche Öffentlichkeit ausspielen wollte: die USA die Oder-Neiße-Linie, die UdSSR die Einheit Rumpfdeutschlands. Was konnten und sollten diese Argumente bewirken?

Von Ende Juli bis Dezember 1946 wurden in Paris die Bestimmungen der Satelliten-Verträge (Unterzeichnung 10. Februar 1947) ausgehandelt. Währenddessen stritten sich Sowjets und Westmächte über die Kontrolle der

Kernwaffen (USA-Monopol, W 69–70) sowie über Churchills Europa-Pläne (W 11–13). Seit September 1946 arbeiteten die USA zielstrebig darauf hin, die Vorschläge des Generals Clay für Deutschland zu verwirklichen (22). Am 2. Dezember 1946 vereinbarten die USA und Großbritannien, ihre Zonen in Deutschland ab 1. Januar 1947 zu vereinigen (Bizone). Damit hatten sie etwas Wesentliches entschieden, bevor die für den 10. März 1947 nach Moskau einberufene Konferenz der vier Außenminister, die sich der Deutschen Frage widmen sollte, dazu Stellung nehmen konnte. Für diese Konferenz arbeitete der Alliierte Kontrollrat einen Bericht aus (23). Unmittelbar nach dem Beginn der Moskauer Verhandlungen verkündete Präsident Truman die universale antirevolutionäre Doktrin der USA (W 44 f). Die Sowjets griffen die Taktik der USA-Regierung auf, die Sachverhalte der Deutschen Frage einzeln zu lösen. Über weite Strecken lagen ihren Entwürfen Zitate zugrunde, die gemeinsamen Abmachungen der vier oder der drei Siegermächte entstammten. Es handelte sich dabei für
– die Vorschläge zum Staatsaufbau Deutschlands um Bestimmungen der Pariser Friedensverträge vom 10. Februar 1947 über Grundrechte und Grundfreiheiten der Menschen sowie über politische Parteien und andere Organisationen;
– den Vertragsentwurf über die Entmilitarisierung Deutschlands um das Schema des Byrnes-Planes der USA vom 29. April 1946, der wiederum die Erklärungen von Berlin und Potsdam übernommen hatte, allerdings mitsamt der Forderung nach einer Viermächtekontrolle des Ruhrgebiets. Schließlich einigten sich die vier Mächte am 3. April 1947 (Bevin-Plan). Der Kompromiß blieb aber bedeutungslos, da die Einzelheiten strittig blieben. Wäre ein Erfolg denkbar gewesen (24, vgl. 14)?

Mit radikalen Sicherheitswünschen Frankreichs setzte sich Konrad Adenauer am 5. Oktober 1945 auseinander. Der von den Briten eingesetzte (und tags darauf entlassene) Oberbürgermeister Kölns erklärte:

20 „Wenn man einen Rhein-Ruhr-Staat bildet, losgelöst von den anderen Teilen Deutschlands, dann erhebt sich sofort die Frage: Was wird aus den Gebieten nördlich und südlich dieses neuen Staatsgebildes? Rußland wird dann, getreu seinen imperialistischen Tendenzen, wahrscheinlich sofort erklären, der von ihm besetzte Teil sei das Deutsche Reich. Die drei zerschnittenen Teile der westlichen Zonen werden dann automatisch nach der Wiedervereinigung mit dem russisch besetzten Deutschen Reich streben. Damit aber wendet man das Gesicht Gesamtdeutschlands dem Osten und nicht dem Westen zu. Nach meiner Ansicht sollten die Westmächte die drei Zonen, die sie besetzt halten, tunlichst in einem staatsrechtlichen Verhältnis zueinander belassen. Das beste wäre, wenn die Russen nicht mittun wollen, sofort wenigstens aus den drei westlichen Zonen einen Bundesstaat zu bilden. Um aber den Sicherheitswünschen

Frankreichs gegenüber einem solchen westdeutschen Bundesstaat zu
genügen, müßte man die Wirtschaft dieses westdeutschen Gebietes
mit der Frankreichs und Belgiens so eng wie möglich verflechten.
Denn gemeinsame wirtschaftliche Interessen sind die beste Grundlage für die Annäherung der Völker und die Sicherung des Friedens."

Interview mit dem Vertreter von „News Chronicle" und „Associated Press" in Köln, in:
Paul Weymar, Konrad Adenauer. Die autorisierte Biographie, München 1955, S. 280 f.

Überlegungen des Generals Lucius D. Clay im Frühjahr 1946. Clay
leitete das „Office of Military Government of the United States" OMGUS
in Berlin. Am 26. Mai 1946 kabelte er erneut dem Department of State:

21 „Ruhrkohle und Ruhrstahl [sind] Deutschlands wichtigste
Aktivposten ... Politisch würde die Abtrennung von Ruhrgebiet und Rheinland eine dauernde politische Unruhe schaffen, und
jeder patriotische Deutsche finge dann an, auf politische und militärische Bündnisse zu sinnen, die Aussicht böten, jene Gebiete eines Tages
Deutschland zurückzubringen. Eine Abtretung verletzt den Grund-
satz des Selbstbestimmungsrechtes ...
Wir möchten die Errichtung einer Ruhr-Kontrollbehörde nur für die
Kohlen- und Stahlindustrie des Gebiets empfehlen. Diese Behörde
würde Eigentum und Besitz der Werke übernehmen und Aktien ...
an jetzige Eigentümer, die keine Verbindung mit dem Nationalsozialismus hatten, ausgeben ...
Schließlich sind wir der Ansicht, daß diese unsere Vorschläge im
allgemeinen für die Briten annehmbar sind. Theoretisch, da sie mit
Potsdam übereinstimmen, sollten sie es auch den Russen sein ...
Grundsätzlich ist zu erwarten, daß die Franzosen diesen Vorschlägen
starken Widerstand entgegensetzen werden. Falls jedoch in der
nahen Zukunft keine Übereinstimmung entsprechend diesen Grund-
zügen erzielbar ist, stehen wir einer sich verschlechternden deutschen
Wirtschaft gegenüber, die einen Zustand politischer Unruhe herauf-
beschwören wird, der die Entwicklung des Kommunismus in Deutschland begünstigt und die Demokratisierung behindert... Die britische
und amerikanische Zone würden vereinigt binnen weniger Jahre
dazu gelangen, sich selbst zu erhalten; allerdings müßte sie [die
Bizone] während dieser Periode mit Nahrungsmitteln versorgt werden, bis die Industrie so weit wieder aufgebaut ist, daß sie die erforderlichen Ausfuhren zur Bezahlung der Lebensmittelimporte auf-
zubringen vermag. In klarer Erkenntnis der politischen Folgerungen
aus einer solchen Verschmelzung glauben wir hier doch, daß diese
Folgerungen weniger schlimm wären als das Weiterbestehen der

jetzigen hermetisch abgeschlossenen Zonen. Wenn es nicht möglich ist, die französische und die russische Einwilligung zu diesen Grundsätzen zu erlangen, würden wir sehr empfehlen, an die Briten heranzutreten ... Wenn die Briten zum Vollzug dieser Verschmelzung bereit sind, sollten die französischen und die russischen Vertreter darauf hingewiesen werden, daß wir diese Verschmelzung noch vor dem Winter durchzuführen beabsichtigen, obwohl wir es weit lieber sähen, wenn eine Einigung unter den Alliierten über die Behandlung Deutschlands als Ganzes erreicht werden könnte."

L. D. Clay, a. a. O., S. 90–96; s. J. E. Smith (Hrsg.): The Papers of General Lucius D. Clay. Germany 1945–1949. Vol. I, Bloomington/London 1974, Nr. 122, S. 212 ff., Zitate S. 216 f.

Die Grundsätze des neuen Kurses der USA verkündete der Leiter des Department of State, Byrnes, am 6. September 1946 in Stuttgart:

22 „Wir treten für die wirtschaftliche Vereinigung Deutschlands ein. Wenn eine völlige Vereinigung nicht erreicht werden kann, werden wir alles tun, was in unseren Kräften steht, um eine größtmögliche Vereinigung zu sichern ...

Nun ist es auch Zeit, die Grenzen des neuen Deutschlands festzusetzen ... Durch das Abkommen von Jalta hat Polen an Rußland das Gebiet östlich der Curzon-Linie abgetreten. Polen hat dafür eine Revision seiner nördlichen und westlichen Grenzen verlangt. Die Vereinigten Staaten werden eine Revision dieser Grenzen zugunsten Polens unterstützen. Der Umfang des an Polen abzutretenden Gebiets kann jedoch erst entschieden werden, wenn das endgültige Abkommen darüber getroffen ist. Die Vereinigten Staaten finden, daß sie Frankreich, in welches Deutschland innerhalb von 70 Jahren dreimal eingefallen ist, seinen Anspruch auf das Saargebiet, dessen Wirtschaft mit Frankreich eng verbunden ist, nicht verweigern können ...

Von diesen Veränderungen abgesehen, werden die Vereinigten Staaten keine Eingriffe in unbestritten deutsches Gebiet oder eine Aufteilung Deutschlands, die nicht dem echten Willen der Bevölkerung entspricht, unterstützen. Soweit den Vereinigten Staaten bekannt ist, wünscht die Bevölkerung des Ruhrgebiets und des Rheinlandes, mit dem übrigen Deutschland vereinigt zu bleiben, und die Vereinigten Staaten werden sich diesem Wunsch nicht widersetzen ... Die Vereinigten Staaten werden für solche Kontrollmaßnahmen für ganz Deutschland, einschließlich des Ruhrgebietes und des Rheinlandes, eintreten, die aus Sicherheitsgründen erforderlich sind."

E. Deuerlein, a. a. O., S. 392–398.

Über die Stellung Berlins äußerte sich der Alliierte Kontrollrat in seinem Bericht vom 20. und 25. Februar 1947 für die Moskauer Konferenz der vier Außenminister; allerdings hat das Plenum des Kontrollrats den Entwurf des britischen Vertreters Pink am 13. Februar 1947 auf Wunsch des UdSSR-Vertreters nicht in den offiziellen Text des Berichts aufgenommen (vgl. J. N. in „Die Zeit", 2. April 1971, S. 9):

23 „Im Teil 3 dieses Berichtes, der sich mit der ,Demokratisierung Deutschlands' befaßte, wurde zur besonderen Lage Groß-Berlins festgestellt, daß es zwar von den vier Mächten gemeinsam besetzt wurde, aber ,gleichzeitig die Hauptstadt der Sowjetischen Besatzungszone ist'. Es wurde besonders hervorgehoben, daß die zentralen Organe der in der Sowjetischen Besatzungszone zugelassenen politischen Parteien auch die zentralen Organe dieser Parteien in Berlin sind."

Otto Winzer [Staatssekretär des Außenministeriums der DDR], Einige Bemerkungen zur Pariser NATO-Ratstagung, Neues Deutschland, Berlin-Ost, 22. Dezember 1961.

Über die Moskauer Konferenz der Außenminister 1947 urteilte Wilhelm Cornides:

24 „Die Erfüllung der sowjetischen Reparationsforderungen und die Wiederherstellung der Wirtschaftseinheit Deutschlands auf Grund der sowjetischen Bedingungen hätten das Ruhrgebiet dem direkten sowjetischen Einfluß eröffnet: Daran, und nicht an Detailfragen der künftigen Staatsform Deutschlands, scheiterten die Moskauer Verhandlungen."

W. Cornides, Die Weltmächte und Deutschland. Geschichte der jüngsten Vergangenheit 1945–1955, Tübingen-Stuttgart 21961, S. 168.

IV. Die Teilung Rumpfdeutschlands
Sommer 1947 – Herbst 1949

Unmittelbar nach der Moskauer Konferenz der Außenminister (Ende: 24. April 1947) entschlossen sich die USA, Europa wirksam zu helfen. Sie setzten voraus, daß alle interessierten Regierungen sich wirtschaftlich einigen und *alle* Hilfsmittel des Kontinents einsetzen würden. Das Wirtschaftspotential Westdeutschlands spielte eine entscheidende Rolle (vgl. 14, 24). Eine Mitarbeit der UdSSR und der von ihr beeinflußten Länder wurde nicht ernsthaft erwartet.

Noch vor der Verkündung des Marshall-Plans am 5. Juni 1947 wurde bekanntgegeben, daß für die Bizone ein „Deutscher Wirtschaftsrat" geschaffen werde. Das Ergebnis der Pariser Beratungen (12.–22. Juli 1947) empfahl, die drei Westzonen Deutschlands in das „European Recovery Program" (ERP) einzubeziehen. Über das Ziel dieser Politik und die Etappen und Mittel hatte US-General Lucius D. Clay ein Gutachten erarbeiten lassen (25). Die Konsequenzen für die Deutsche Frage verdeutlichte das Department of State der USA (26), bevor die vier Außenminister (zuvor ihre Stellvertreter) in London vom 6. bzw. 25. November 1947 an erneut besonders über Deutschland verhandelten (27). Sofort nach dem Abbruch der Londoner Beratungen forderte General Clay eine Währungsreform in Deutschland sowie die Bildung eines westdeutschen Staates. Nachdem die Anglo-Amerikaner französischen Bedenken (Saar, Ruhr, Einheit) begegnet waren, konnten die Struktur des zu bildenden Staates sowie seine wirtschaftliche Integration vorbereitet werden (28, 29). Am 17. März 1948 entstand in Brüssel die „Westunion", indem die Beneluxländer „zur Verteidigung der Demokratie gegen jeden Angriff" dem Dünkirchner Bündnis zwischen Großbritannien und Frankreich vom 4. März 1947 beitraten. Die Londoner Besprechungen wurden am 2. Juni 1948 erfolgreich beendet (30). Den Bestrebungen der Westmächte trat die UdSSR seit Juni 1948 entgegen. Beim Zusammenschluß der Kommunistischen Parteien Europas (Kominform, 33, W 21), beim Ausbau des Ostpakt-Systems bis zum Frühjahr 1948 sowie bei den kommunistischen Machtergreifungen in der ČSR (Februar 1948) und in Ungarn (1948/49) traten Ziele und Methoden dieser Reaktion auf die Initiative der USA klar hervor. In Deutschland stellte die Anwesenheit westlicher Truppen in Berlin den Ansatzpunkt für die Sowjets dar. Schien es sich in Berlin nicht in rechtlicher, strategischer, finanzieller und wirtschaftlicher Hinsicht um den schwächsten Punkt der Westmächte zu handeln? Wie hatte die UdSSR die Vereinbarungen des Jahres 1945 über Rumpfdeutschland gedeutet? Hatte sie nicht analog zur Viermächte-Besetzung des *politischen* Zentrums Berlin inmitten der SBZ eine Viermächte-Besetzung des *wirtschaftlichen* Zentrums Ruhrgebiet innerhalb der westlichen Zonen verlangt? Welche Folgerung lag nahe, falls jetzt die Westmächte die Voraussetzung (Einheit Rumpfdeutschlands) beseitigten? Welche Funktion konnte ein Druck auf West-Berlin haben? Sollte der sowjetische Herrschaftsbereich abgerundet werden? Oder sollten die Westmächte daran gehindert werden, ihre Pläne zu verwirklichen (33, 34)?

Die kritische Phase begann mit dem Ende des alliierten Kontrollrats (29, vgl. 19). Zunächst störten die Sowjets den Land- und Wasserverkehr der alliierten Truppen, unmittelbar nach der Ankündigung der westdeutschen Währungsreform am 18. Juni 1948 auch den innerdeutschen Verkehr. Schließlich war es seit Anfang August 1948 nur noch auf dem Luftweg möglich, West-Berlin zu versorgen. Nachdem Berlins Verwaltung endgültig geteilt worden war und die Luftbrücke den Westmächten geholfen hatte, ihre Ziele schnell zu erreichen, führten Geheimverhandlungen der vier Mächte zur Normalisierung auf der Grundlage des Status quo ante. Zugangsrechte für Deutsche handelten die USA nicht aus (Lucius D. Clay, „Die Welt", 20. Juni 1968, S. 3). Zuvor war eine Alternativ-Konzeption des Washingtoner Planungsstabs nicht beachtet worden; mit ihr hätte die Teilung Rumpfdeutschlands und Europas langfristig rückgängig gemacht und nach dem sowjetischen Rückzug „aus dem Herzstück des Kontinents" künftig die Einigung zwischen den USA und der UdSSR ermöglicht werden sollen („Plan A", 30a). Marshalls Nachfolger als US-Außenminister, Dean Acheson, hat diesen Vorschlag Mitte Mai 1949 lediglich als publizistisches Druckmittel eingesetzt, um die Regierungen in Paris und London angesichts der bevorstehenden Viermächte-Konferenz über Deutschland zur sofortigen, gemeinsamen Verwirklichung des Weststaats-Plans zu veranlassen; wesentliche Argumente sind aus 30b erschließbar.

Innerhalb jedes der beiden Machtbereiche in Deutschland drängten jetzt die Besatzungsmächte und auch deutsche Politiker darauf, die staatsrechtlichen Folgerungen aus der Spaltung Rumpfdeutschlands zu ziehen. Im September 1949 konstituierten sich die Staatsorgane der Bundesrepublik Deutschland, im Oktober die der Deutschen Demokratischen Republik. Jedes der beiden Staatsgebilde auf dem Boden Rumpfdeutschlands existierte seit 1949 unter der Oberhoheit der Besatzungsmächte. Die Beziehungen zwischen den Deutschen und den jeweiligen Besatzungstruppen wurden nunmehr durch positive Rechtssätze geregelt (Th. Maunz). Was beanspruchte jedes neue Staatsgebilde? Welche möglichen Entwicklungen wurden angedeutet? Vergleichen Sie Präambel und Text des Bonner Grundgesetzes, bes. Art. 23, 24, 116, 146! Worin äußerte sich die mangelnde Souveränität (30–32)? Beachten Sie den Staatsnamen und die Berlin-Formulierungen (DP)!

Für den Wirtschaftskrieg mit der UdSSR erhielt General Lucius D. Clay am 19. Juli 1947 ein vertrauliches Gutachten von Lewis H. Brown, Chairman of the Board of Johns-Manville Corporation (Baubedarf, New York). Brown faßte seine Folgerungen im November 1947 öffentlich zusammen:

25 „Westeuropa kann sich nur erholen, wenn sich Deutschland erholt ... Dieses Programm fordert eine neue Politik, damit der militärische, politische und wirtschaftliche Aufbau [setup] der drei Westzonen Deutschlands integriert und vereinheitlicht wird. Es fordert zur Initiative in psychologischer Hinsicht auf, indem es Deutschland neue Hoffnung gibt. Es fordert die Verwendung amerikanischer Lebensmittel und Nachschubgüter als aktiver Antriebe, damit die Kohlenproduktion in Großbritannien und in Deutschland verstärkt und so der Teufelskreis des Mangels durchbrochen werden kann, in den beide Nationen verstrickt sind. Indem wir dies alles tun, um Deutschland wieder auf die Füße zu stellen, dürfen wir ein wesentliches Ziel nicht aus den Augen verlieren. Wir müssen Deutschland daran hindern, jemals wieder eine aggressive Militärmacht zu werden … Heute ist der deutsche Militarismus tot … Zuerst muß Deutschlands Einheit soweit wie möglich wiederhergestellt werden. Die drei Westzonen sollten integriert werden … Ein System verantwortlicher deutscher Staatsinstitutionen (responsible government) für ein vereinigtes Westdeutschland muß geschaffen werden, aber die grundlegenden Kontrollen müssen in unseren Händen verbleiben. Zweitens muß Deutschland 50 Jahre lang militärisch kontrolliert werden, zuerst durch eine Organisation der Alliierten, später durch die UN … Drittens sollte der Teufelskreis des Mangels in Deutschland durchbrochen werden, und zwar beginnend mit der Ruhr und dem deutschen Transportsystem … Viertens sollte das Ruhrgebiet, soweit das praktikabel ist, vom Zwang zum Export der Kohlen befreit werden, damit diese Kohlenmengen verwendet werden können, um Industrie und Transportwesen Deutschlands in Gang zu setzen … Fünftens sollten alle jene politischen Hindernisse für die deutsche Produktion, die sich aus der Morgenthaupolitik ergeben, aufgehoben werden … Sechstens sollte der Anreiz zum Arbeiten in Deutschland durch die Schaffung starken, gesunden Geldes wiederhergestellt werden … [Siebtens freie Wirtschaft ohne jegliche politischen Hindernisse, achtens Exportanreize.] Neuntens sollte der Lebenswille in Deutschland dadurch wiederhergestellt werden, daß dem deutschen Volk die Hoffnung auf eine bessere Zukunft als Erfolg harter Arbeit gegeben wird. Deutschland sollte in den Marshall-Plan einbezogen werden … Zehntens sollten wir weder in Deutschland, Großbritannien noch sonstwo … mit dem Geld des amerikanischen Steuerzahlers irgend etwas anderes als harte Arbeit unterstützen … Warum sollen unsere Farmer wöchentlich 70 Stunden arbeiten, damit die britischen Bergarbeiter nur 35 Stunden wöchentlich arbeiten? … Ganz abgesehen davon, wie sehr wir damit Erfolg haben werden, die Industrie wieder auf die Beine zu stellen, so werden die 48 Millionen Einwohner Westdeutschlands noch in 50 Jahren arm sein …"

Lewis H. Brown, American Economic Policy Relating to Germany and Western Europe, Vortrag am 12. November 1947 in New York City, in: John A. Krout (Hg.), America's New Foreign Policy. Proceedings of the Academy of Political Science, Columbia University N. Y., Vol. XXII, 4 (Jan. 1948), S. 439–450, 462.*

Die Zielsetzung der USA formulierte das Department of State am 20. Oktober 1947:

26 „Es ist der Wunsch der Vereinigten Staaten, die Deutschen lieber in einer Position unter den anderen Mächten zu sehen, die sie in die Lage versetzt, an einem großzügigen wirtschaftlichen Wiederaufbauprogramm Europas mitzuarbeiten, als sie wirtschaftlich und politisch in Abhängigkeit irgendeines anderen Machtbereichs zu finden. Die Uneinigkeit der Großmächte in dieser Angelegenheit hat, wenigstens zur Zeit, zu einer tatsächlichen Teilung Deutschlands geführt."

U. S. Außenministerium, Publikation Nr. 2961: Aspekte der gegenwärtigen Amerikanischen Außenpolitik, 20. Oktober 1947, zur Veröffentlichung freigegeben im November 1947, dt. München 1948, S. 50.

Das Ende der Londoner Konferenz der vier Außenminister.

27 *„Am 15. Dezember 1947 wurde die Konferenz auf einen Antrag [des amerikanischen Außenministers] Marshall hin so rasch abgebrochen, daß [der britische Außenminister] Bevin nicht einmal mehr dazu kam, seine vorbereitete Erwiderung auf die Rede [des sowjetrussischen Außenministers] Molotow zu verlesen. Die Außenminister gingen auseinander, ohne einen neuen Termin zu vereinbaren . . .*
Molotow erklärte zum Schluß: ‚Der Vorschlag Marshalls zur Vertagung der Konferenz kann nicht anders betrachtet werden als ein Versuch, freie Hand zu bekommen, um weiter in der Richtung der Verstärkung separatistischer Tendenzen in Westdeutschland zu wirken.'"

W. Cornides, a. a. O., S. 186 f.

Über die Konsequenzen aus der Krise für Berlin urteilte der damalige Vertreter des Oberbürgermeisters von Berlin, Ferdinand Friedensburg (CDU):

27a „Die Konferenz . . . endete . . . in voller Uneinigkeit. Damit zerfiel auch die Voraussetzung, auf der die sonderbare Stellung Berlins bisher beruht hatte. Berlin sollte von den vier Mächten gemeinsam verwaltet werden, und diese Gemeinsamkeit hörte auf. Die Sowjetregierung war, wie in der Regel, schneller als die anderen entschlossen, die praktischen Konsequenzen aus der veränderten Lage zu ziehen . . . Es war unser großes Glück, daß sie auf dieser Grundlage nicht nüchtern und ruhig mit ihren bisherigen Verbündeten verhandelt [hat]. Nach allem, was wir damals und später von der Einsatzfreudigkeit der Westmächte erfahren mußten, bin ich geneigt anzunehmen, daß es den Russen wohl nicht allzu schwer gefallen wäre, sich unter den gegebenen Umständen die Alleinherrschaft über die Stadt, die ja noch kein weltpolitisches Prestigeobjekt darstellte, kampflos, wenn vielleicht auch mit einigen belanglosen Vorbehalten, einräumen zu lassen ... Statt den Verhandlungsweg zu beschreiten, unternahmen es die Russen, ihre bisherigen Verbündeten durch Verkehrsbehinderungen aus ihrer Berliner Position gewissermaßen hinauszuschikanieren."

Ferdinand Friedensburg, Es ging um Deutschlands Einheit. Rückschau eines Berliners auf die Jahre nach 1945, Berlin 1971, S. 212 f.

Die Einigung der Westmächte über die Pläne für Westdeutschland und Westeuropa verdeutlichte das Kommuniqué über die Londoner Besprechungen zwischen den westlichen Besatzungsmächten und den Beneluxländern vom 6. März 1948:

28 „Man war sich einig, daß im Interesse des politischen Gleichgewichts und wirtschaftlichen Wohlergehens der westeuropäischen Länder und eines demokratischen Deutschlands eine enge Verbindung ihres Wirtschaftslebens vorhanden sein muß. Da es sich als unmöglich erwiesen hat, die wirtschaftliche Einheit Deutschlands zustande zu bringen, und die Ostzone gehindert worden ist, ihre Rolle im europäischen Wiederaufbauprogramm zu spielen, sind die drei Westmächte übereingekommen, zwischen ihnen und den Besatzungsbehörden in Westdeutschland eine enge Zusammenarbeit in allen Angelegenheiten herbeizuführen, die sich aus dem europäischen Wiederaufbauprogramm in bezug auf Westdeutschland ergeben. Eine derartige Zusammenarbeit ist unerläßlich, wenn Westdeutschland seinen vollen Beitrag zur Erholung Europas leisten soll ...
Insbesondere kam man überein, daß eine föderative Regierungsform, die die Rechte der betreffenden Staaten ausreichend schützt, aber gleichzeitig für eine angemessene neutrale Autorität sorgt, am besten für die schließliche Wiederherstellung der gegenwärtig fehlenden Einheit Deutschlands geeignet ist." *J. Hohlfeld, a. a. O., Bd. VI, S. 272 f.*

Die letzte Sitzung des Kontrollrates in Berlin am 20. März 1948.
Die Sowjets beschwerten sich darüber, daß sie über die Londoner Besprechungen nur in den Zeitungen gelesen hätten.

29 „Nachdem der Dolmetscher die Übersetzung der sowjetischen Anwürfe beendet hatte, begann der britische Vertreter mit der Erwiderung. Die sowjetische Delegation unterbrach ihn grob, indem sie sich ohne Erklärung ... wie ein Mann erhob; [der sowjetrussische Marschall] Sokolowskij erklärte: ‚Ich finde es sinnlos, die Sitzung fortzusetzen, und ich erkläre sie hiermit für vertagt.' Ohne ein weiteres Wort machten die sowjetischen Vertreter auf den Absätzen kehrt und verließen den Konferenzsaal." *Lucius D. Clay, a. a. O., S. 394 f.*

Das Ergebnis der Londoner Sechsmächte-Besprechungen wurde am 7. Juni 1948 bekanntgegeben; darin hieß es:

30 „II. Die Rolle der deutschen Wirtschaft in der Wirtschaft Europas und die Kontrolle der Ruhr ... Die Errichtung dieser [Kontroll-]Behörde bedeutet keine politische Abtrennung des Ruhrgebiets von Deutschland ...

III. Entwicklung der politischen und wirtschaftlichen Organisation Deutschlands ... Die Delegierten erkennen an, daß es bei Berücksichtigung der augenblicklichen Lage notwendig ist, dem deutschen Volk Gelegenheit zu geben, die gemeinsame Grundlage für eine freie und demokratische Regierungsform zu schaffen, um dadurch die Wiedererrichtung der deutschen Einheit zu ermöglichen, die zum gegenwärtigen Zeitpunkt zerrissen ist ... Die Delegationen sind daher übereingekommen, daß die Militärgouverneure eine gemeinsame Sitzung mit den Ministerpräsidenten der Westzonen Deutschlands abhalten sollen. Auf dieser Sitzung werden die Ministerpräsidenten Vollmacht erhalten, eine verfassunggebende Versammlung ... einzuberufen, die von den Ländern zu genehmigen sein wird. Die Abgeordneten dieser verfassunggebenden Versammlung werden von den einzelnen Ländern ... ernannt werden ... Diese Verfassung soll so beschaffen sein, daß sie es den Deutschen selbst ermöglicht, ihren Teil dazu beizutragen, die augenblickliche Teilung Deutschlands wiederaufzuheben, allerdings nicht durch die Wiedererrichtung eines zentralistischen Reichs, sondern mittels einer föderativen Regierungsform, die die Rechte der einzelnen Staaten angemessen schützt und gleichzeitig eine angemessene zentrale Gewalt vorsieht und die Rechte und Freiheiten des Individuums garantiert. Wenn die Verfassung ... nicht gegen diese allgemeinen Grundsätze verstößt, werden die Militärgouverneure die Bevölkerung in den betreffenden Staaten zur Ratifizierung ermächtigen ...

V. Sicherheit ... Vor der allgemeinen Zurückziehung der Besatzungstruppen aus Deutschland soll zwischen den beteiligten Regierungen ein Übereinkommen über die notwendigen Maßnahmen zur Demilitarisierung, Abrüstung, Kontrolle der Industrie und zur Besetzung der Schlüsselgebiete abgeschlossen werden. Außerdem soll ein Inspektionssystem geschaffen werden, um die Durchführung der beschlossenen Bestimmungen über die Abrüstung und Demilitarisierung Deutschlands zu gewährleisten.

Diese Empfehlungen sollen in keiner Weise ein späteres Viermächteabkommen über das deutsche Problem ausschließen, sondern es im Gegenteil erleichtern . . .

Anhang: Internationale Kontrolle der Ruhr . . ."

J. Hohlfeld, a. a. O., Bd. VI, S. 276–283.

Der „Plan A" George F. Kennans als Grundlage eines Abkommens über Gesamt-Rumpfdeutschland. Wegen der Zuspitzung der Berlin-Situation ist Anfang Juli 1948 der Planungsstab des US-State Department beauftragt worden, Alternativen zur Weststaats-Konzeption zu erarbeiten. Am 15. November 1948 konnte George F. Kennan den „Plan A" vorlegen. In seinen Memoiren schrieb er 1967 (vgl. DP 30b; zur Bedeutung der Überlegungen in Diskussionen seit 1949 vgl. die Disengagement-Erörterungen 1957/58 [W I, S. 75; W I 30; D 74] sowie die Entwicklungen seit 1970):

30a „Es schien ungeheuer wichtig zu sein, zu einer Vereinbarung zu kommen, die Berlin aus der eisernen Umarmung der russischen Truppen befreite und die Verhängung einer neuen Blockade ausschloß. Eine befriedigende Lösung nur für Berlin selbst zu finden – das heißt ohne gleichzeitige Beseitigung der von den Russen vorgenommenen Sperre der Zufahrtswege –, schien unsern Leuten vom Planungsstab nahezu unmöglich. Mehr Erfolg versprachen wir uns von einem Abkommen über Deutschland als Ganzes, in dem der Rückzug der russischen Truppen aus der Umgebung von Berlin sowie die Herstellung normaler Verbindungswege zwischen Berlin und dem übrigen Deutschland festgelegt sein müßten. . . .

Man würde sich vor allem anderen über einen Vier-Mächte-Kontrollapparat verständigen müssen, der über die Abwicklung des Programms zu wachen hätte. Hier würden wir ein individuelles Vetorecht nicht zulassen dürfen. Nach Arbeitsaufnahme des neuen Kontrollapparats würden sehr bald Wahlen angesetzt und eine provisorische deutsche Regierung gebildet werden. Die Wahlen würden in allen vier Zonen unter internationaler Aufsicht abgehalten werden. Mit Bildung der provisorischen deutschen Regierung würde die Militärregierung beendet sein, und die alliierten Streitkräfte würden sich in bestimmte Garnisonsbezirke zurückziehen, die noch innerhalb Deutschlands, aber an der Peripherie, liegen würden. Die Garnisonen müßten geographisch so angeordnet sein, daß sie mit dem Ausland ohne Berührung deutschen Territoriums Verbindung halten könnten. Das britische Gebiet könnte etwa in der Gegend von Hamburg liegen, das amerikanische bei Bremen und das russische bei Stettin -- alle drei mit Zugang zu einem Seehafen. Die französische Garnison würde entlang der französischen Grenze liegen und von Frankreich direkt zu erreichen sein. Das von den Alliierten freigegebene Gebiet – also fast ganz Deutschland unter Einschluß von Berlin – würde der provisorischen deutschen Regierung unterstellt werden. Ausführliche Sicherheitsbestimmungen würden in der Zeit des Übergangs der Regierungsgewalt von den alliierten Militärs auf die Deutschen jeden Mißbrauch der deutschen Polizei durch Extremisten von rechts oder links unmöglich machen. Die einzelnen Phasen der Übergabe waren zeitlich so aufeinander abgestimmt, daß mit undemokratischen Methoden zu keiner Zeit etwas auszurichten sein würde. Die vollständige Entmilitarisierung Deutschlands würde beibehalten werden...."

George F. Kennan, Memoiren eines Diplomaten (Memoirs 1925–1950, 1967), dt. Stuttgart ⁴1968, S. 421, 423. Text des „Plan A": J. E. Smith (Hrsg.): The Papers ... Clay, II, in Nr. 734, S. 1141–47.

Die Gegenargumente des US - Militärgouverneurs in Deutschland. Unmittelbar nach Kenntnisnahme kritisierte General Lucius D. Clay den „Plan A". In einer Telefonkonferenz mit dem Pentagon am 5. Mai 1949 formulierte er von Berlin aus lt. Protokoll:

30b „Mein Programm ist einfach [:]
1. Die Sowjets einladen, das gegenwärtige Besatzungsstatut anzunehmen.
2. Die Länder der Sowjetzone einladen, der in Bonn gebildeten Bundesregierung beizutreten, und zwar mit dem Recht, an der Ratifikation [des Grundgesetzes] teilzunehmen, falls sie nicht bereits erfolgt ist.
3. Freie Wahlen – aber gleichzeitig und in allen Bundesländern überwacht durch Inspektionsgruppen der Besatzungsmächte.
4. Bildung einer gesamtdeutschen Regierung (all-German government) und Errichtung einer Hochkommission [erg.: on quadripartite basis].
5. Die Frage einer künftigen Verfassung lediglich derartig behandeln, wie das in der gegenwärtig vorliegenden Fassung des Besatzungsstatuts geschieht.

Nach meiner Meinung ist [das andersartige Vorgehen im Zusammenhang mit ‚Plan A'] selbstmörderisch für unsere Ziele (I think the whole approach suicidal to our objectives). Es läßt unsere Zusicherungen an die Bonner Deutschen [d. h. an den Parlamentarischen Rat] völlig unglaubwürdig werden. . . . Außerdem ist es überflüssig. Denn wir halten die Trümpfe in der Hand, und ich bin davon überzeugt, daß die Sowjets sowohl das Besatzungsstatut als auch die Bonner Republik hinnehmen werden. Wenn dem so ist, warum sollten gerade wir vorschlagen, mit der gesamten Prozedur erneut zu beginnen und dabei zu riskieren, den westlichen Einfluß auf deutsche Führer (leaders) völlig zu verlieren.
Sowjetrußland fürchtet ein Deutschland, das nach Westen orientiert ist. Es hat den Plan der politischen Besitzergreifung [ganz] Deutschlands aufgegeben. Nun wünscht es, einen Pufferstaat zu gründen, weil man meint, Frankreich werde [den Plan eines?] ein umfassendes Deutschland (a large Germany) vom Tisch wischen. Sowjetrußland will dann den Weststaat ausbeuten und mit ihm ins Geschäft kommen. Deshalb ist es für uns zwingend geboten, daß wir zu jenen in Deutschland halten, die nach Westen orientiert sind; das heißt: zu den politischen Führern in Bonn.
Nach meiner Überzeugung wäre ein Rückzug unserer Truppen [auf die Basis Bremen], bevor Stabilität gewährleistet wäre, selbstmörderisch. . . . Falls man wirklich wünscht, Deutschland den Sowjets zu überlassen, führt diese Maßnahme zum Ziel. . . . [Sie könnte nur ein Intermezzo sein zum völligen Rückzug aus Europa. Sie] läßt Deutschland tatsächlich sofort zum Pufferstaat werden. . . . [Stattdessen] sollten wir warten, bis Stabilität existiert, ein wiederbewaffnetes West-Europa, und wir wissen, wo Deutschland in diesem Konzept seinen Platz hat."

J. E. Smith (Hrsg.): The Papers of General Lucius D. Clay. Germany 1945–1949. Vol. II, Nr. 734, S. 1148 f.

Über „die prägende Bedeutung des Besatzungsregimes für die heutige Gestalt der Bundesrepublik" äußerte sich der deutsche Politologe Theo Stammen:

31   *„Man hat sich bei der Analyse des Grundgesetzes im allgemeinen viel zu sehr daran gewöhnt, es als Resultat eines geistigpolitischen Dialogs mit der Weimarer Zeit, der ihr vorausgegangenen parlamentarischen Tradition und mit jener so verhängnisvollen Verfassungssituation des Dritten Reiches zu begreifen . . . Das Experi-*

ment [der zweiten deutschen Demokratie] begann ... mit Hilfe der
Besatzungsmächte bereits unmittelbar nach der Kapitulation 1945!...
[Auf Grund der Anweisungen der Besatzungsbehörden wird] der oft
unterschätzte oder gar gänzlich totgeschwiegene Anteil der westlichen Besatzungsmächte an der Entstehung der zweiten deutschen
Demokratie deutlich ... Gerade von hier aus läßt sich ermessen, daß
der Parlamentarische Rat in seiner Arbeit keineswegs völlig frei war,
sondern auf die Vorstellungen der Alliierten Rücksicht nehmen
mußte ... Man muß sich dabei zugleich die weltpolitische Kon-
stellation der Jahre 1947/48 vor Augen führen, aus der der ent-
schiedene Wille der drei Alliierten, Westdeutschland politisch zu
integrieren und zu organisieren, zu verstehen ist."

Th. Stammen, Einigkeit und Recht und Freiheit. Westdeutsche Innenpolitik 1945–1955,
München 1965, dtv-Bd. 286, S. 9–13.

**Die Anweisungen der Besatzungsmächte für die innerstaatliche
Ordnung in Deutschland** waren jenen Auflagen vergleichbar, die in
den Pariser Friedensverträgen vom 10. Februar 1947 für die ehemaligen
Verbündeten des Deutschen Reiches enthalten sind. Der Rechtswissenschaft-
ler Eberhard Menzel analysierte diese Texte – man vergleiche die sowjetrussischen Vorschläge (44, 54, 74) sowie die Friedensverträge mit Italien
und Finnland!

32 „Interventionale Bestimmungen ... sind jene Völkerrechtsnor-
men ..., die zwingende Vorschriften für die staatliche Grund-
ordnung ... der einzelnen Staaten enthalten ... Die früheren Friedensverträge ließen meist die Frage der innerstaatlichen Ordnung ...
unberührt."

Eberhard Menzel, Einführung in die Friedensverträge, in: Die Friedensverträge von 1947
mit Italien usw., Quellen für Politik und Völkerrecht, Bd. 1, Oberursel (Ts.) 1948, S. 39 f.

**Ein stalinistisches Urteil über „die Versuche, einen Westblock
unter der Ägide Amerikas zusammenzuzimmern",** formulierte
parteioffiziell der Sekretär des ZK der KPdSU (B), A. A. Shdanow, auf
der Informationskonferenz von Vertretern einiger kommunistischer Parteien im September 1947 in Warschau:

33 „Die amerikanischen Monopole rechnen ebenso wie die ganze
internationale Reaktion offenbar nicht damit, daß Franco oder
die griechischen Faschisten ein irgendwie zuverlässiges Bollwerk der
USA gegen die UdSSR und die neuen Demokratien in Europa sein

könnten. Deshalb setzen sie besondere Hoffnungen auf die Wiederherstellung des kapitalistischen Deutschlands und erblicken darin die
wichtigste Garantie für den Erfolg ... Das ist der Grund, weshalb
die Deutschlandfrage und insbesondere das Problem des Ruhrgebietes als potentielle rüstungsindustrielle Basis eines der UdSSR feindlichen Blocks die wichtigste Frage der internationalen Politik und
die Streitfrage zwischen den USA, England und Frankreich darstellt.
Der Appetit der amerikanischen Imperialisten muß beträchtliche
Unruhe in England und Frankreich hervorrufen ... Die amerikanischen Imperialisten fordern ferner die Vereinigung der drei Besatzungszonen und die offen vollzogene formelle politische Abtrennung Westdeutschlands unter amerikanischer Kontrolle ... Auf diese
Weise wird der ,Westblock' von Amerika nicht nach dem Vorbild
des Churchill-Plans der ,Vereinigten Staaten von Europa' zusam-
mengezimmert, die als Vollstrecker der englischen Politik gedacht
waren, sondern als ein amerikanisches Protektorat, in dem den souveränen europäischen Staaten, England selbst nicht ausgeschlossen,
ein Platz eingeräumt wird, der von dem berüchtigten ,49. Staat von
Amerika' nicht allzu weit entfernt ist."

B. Meissner (Hg.), Das Ostpakt-System. Dokumentensammlung, Bd. XVIII der Doku-
mente ... der Forschungsstelle für Völkerrecht und ausländisches öffentliches Recht an der
Universität Hamburg, Frankfurt/M.-Berlin 1955, S. 95 f.

Der Politikwissenschaftler Hans-Peter Schwarz erörterte die
Möglichkeiten, die sich der UdSSR seit 1945 boten:

34 *„Der Ostzone war während der ganzen Besatzungsperiode eine*
widersprüchliche Doppelfunktion zugedacht. Die Sowjetunion
betrachtete sie als Ausbeutungsobjekt, aber zugleich auch als Modell
für ihre gesamte Deutschlandpolitik ... Insgesamt gesehen, zeigte
die Sowjetunion ein deutliches Bestreben, sich jederzeit möglichst
alle Alternativen offenzuhalten. Von Anfang der Zusammenarbeit
mit den Westmächten an bis zur Gründung der Zonenrepublik im
Jahre 1949 war Moskau bemüht, eine Deutschlandlösung im Ein-
vernehmen mit den [westlichen] Siegermächten mindestens nicht zu
verbauen. Die Intensität, mit der dies Konzept verfolgt wurde, war
verschieden stark ... Das schloß freilich nicht aus, daß die Sowjet-
union zur gleichen Zeit, doch auch wieder mit unterschiedlicher In-
tensität, große Anstrengungen unternahm, sich den Deutschen als
besondere Sachwalterin ihrer nationalen Interessen zu präsentieren...
Im großen und ganzen waren ... zwischen der Londoner Konferenz
Ende 1947 und dem Ende der Pariser Konferenz im Juni 1949 nur

42

noch die Alternativen der Sowjetisierung ganz Deutschlands, der isolierten Sowjetisierung der Zone oder – vielleicht – einer Einigung mit den Westmächten auf der Basis des Potsdamer Kompromisses denkmöglich. Die deutschen Reaktionen kümmerten die Sowjetführung kaum mehr. Soviel dürfte deutlich geworden sein: von einer zielbewußten, klaren Deutschlandpolitik der Sowjetunion während der Jahre 1945 bis 1949 kann keine Rede sein. Zu offenkundig sind die Widersprüche, zu deutlich die pragmatische Ausrichtung der Ziele nach den jeweiligen Gegebenheiten ... In jedem Fall muß eine Interpretation der Vorgänge, die auf die widersprüchliche Unentschiedenheit der sowjetischen Deutschlandpolitik abhebt, die Rückwirkungen von Zügen der Gegenspieler auf die Politik des Kreml hoch veranschlagen, sehr viel höher, als dies jene ungleich simplere Annahme tut, derzufolge Stalin seit 1943 konsequent darauf aus war, Deutschland um jeden Preis und so schnell wie möglich kommunistisch zu machen."

H.-P. Schwarz, Vom Reich zur Bundesrepublik. Deutschland im Widerstreit der außenpolitischen Konzeptionen in den Jahren der Besatzungsherrschaft 1945–1949, Neuwied-Berlin, 1966, S. 255, 261, 265 f., 269.

V. Die Auseinandersetzungen um die Westintegration der Bundesrepublik Deutschland 1950 – 1955

Für die Bundesrepublik Deutschland war seit den ersten Phasen ihrer Gründung eines offenkundig: Sie würde als kontrolliertes Gebiet mit eigenständigen Staatsorganen nur entstehen können, wenn sie die regionalen Verpflichtungen der Westzonen (Marshallplan-Behörde) übernehmen und auf allen Lebensbereichen ausbauen würde (vgl. BGG Art. 24). Das Ruhrstatut zur internationalen Kontrolle des Industriereviers durch die drei westlichen Besatzungsmächte sowie die Beneluxländer (35) wurde 1952 durch die Europäische Gemeinschaft für Kohle und Stahl (EGKS – Montanunion) abgelöst; anstelle der einseitigen Diskriminierung der westdeutschen Schlüsselindustrien trat eine Produktions- und Markteinheit mit supranationalen Hoheitsbefugnissen für die BRD, Frankreich, Italien und die Beneluxländer (W 52). Zugleich wurde angestrebt, die Region Westeuropa politisch und wirtschaftlich zu integrieren. Analog operierte die UdSSR in ihrem Machtbereich. Als Gegenstück zum westlichen Europäischen Wirtschaftsrat (OEEC) organisierte sie im Januar 1949 den Rat für Gegenseitige Wirtschaftshilfe (RGW), im September 1950 trat ihm die DDR bei.

Spätestens seit 1949 war ebenfalls deutlich geworden, daß das militärische Potential Rumpfdeutschlands im Kalten Krieg eine Rolle spielen würde. Der Geltungsbereich des BGG sowie West-Berlin gehörten seit der Gründung der NATO (W 48) zu deren Schutzgebiet; denn hier hatten die Mitglieder USA, Großbritannien und Frankreich, ebenso Kanada und Belgien, ihre Besatzungstruppen stationiert. Ähnliches galt wegen der sowjetischen Besatzungstruppen für das Gebiet der DDR. Die Kernfrage für die Regierungen sowohl der Westmächte als auch der UdSSR lautete jedoch: Was würden deutsche Streitkräfte für die zwei Gruppierungen des Kalten Krieges bedeuten, sobald die Truppen aufgestellt sein würden? Würden sie nicht einer Seite ein entscheidendes Übergewicht über die andere verleihen? Falls eine Remilitarisierung Deutschlands denkbar war – ließ sie sich dann verhindern oder auch nur verlangsamen oder beschränken, etwa auf sog. konventionelle Waffen? Sollte es gar möglich sein, das gesamte Potential Rumpfdeutschlands auf einer Seite zu vereinigen? Mußte dann nicht die Entscheidung des Kalten Krieges in Europa gefallen sein, ohne daß gekämpft zu werden brauchte?

Diese Aspekte der Deutschen Frage im Kalten Krieg sowie die möglichen Antworten auf die Frage wurden auf dem Hintergrund der Auseinandersetzungen in Europa bereits *vor* den revolutionierenden Geschehnissen in Ostasien (Sieg der chinesischen Kommunisten auf dem Festland im Herbst 1949; Ausbruch des Korea-Krieges am 25. Juni 1950) erörtert. Im Westen sprach sich besonders Konrad Adenauer für eine westdeutsche „Wiederbewaffnung" aus, und zwar innerhalb eines „kollektiven Sicherheitssystems" (36, 37). Dieses Stichwort mußte die Frage nahelegen, welche Funktion eine derartige Remilitarisierung innerhalb der zeitgenössischen westlichen Politik haben konnte. Sollte sie lediglich dazu dienen, die Ver-

44

teidigungskraft zu stärken? Sollte sie darüber hinaus den Ring der westlichen Eindämmungspolitik (W 45, 50) derartig festigen, daß eine „Politik der Stärke" die UdSSR zur Verkleinerung ihres Machtbereichs in Europa zwingen würde (38, 39, 43)?
Die endgültige Entscheidung über Art und Ausmaß einer militärischen Westintegration der Bundesrepublik Deutschland fiel Anfang Mai 1955 (47, 57). Damit endete eine wesentliche Phase der Nachkriegsentwicklung. Bis dahin versuchte jede Front des Kalten Krieges, den eigenen Bereich zu festigen und möglichst zu vergrößern. Im westlichen Lager, besonders in Frankreich, mußten viele davon überzeugt werden, daß deutsche Soldaten nicht erneut gefährlich werden könnten. In der Bundesrepublik widerstrebten weite Kreise Adenauers Politik.
Im ideologischen Krieg innerhalb Rumpfdeutschlands spielte jede Seite ihre Trümpfe aus. „Freiheit" und „Einheit" lauteten die Parolen der entgegengesetzten Lager (40–42, 49, 54). Was bedeuteten diese Thesen (50, 58–63)? Gab es schließlich Lösungen, die aus dem Dilemma herausführten (44–46, 51–53)?
Stellte die sog. Stalin-Note vom 10. März 1952 (44) ein ernstgemeintes Verhandlungsangebot dar? Oder wollte die Führung der UdSSR mit Hilfe der Note die militärische Westintegration der BRD und insgesamt die Integration Westeuropas verhindern? Sollte statt dessen auf dem Umweg über ein „friedliebendes, demokratisches Deutschland" jeglicher macht- und gesellschaftspolitischer Einfluß insbesondere der USA auf dem europäischen Kontinent beseitigt werden? Mußte dann nicht die UdSSR zur Hegemonialmacht der gesamten eurasischen Region werden?
Von den Reaktionen derjenigen, an die die Note unmittel- und mittelbar gerichtet war, sind Adenauers Äußerungen wichtig gewesen (45a) – sprach aus ihnen ein ostwärts gerichteter Befreiungswunsch?

Die Sicherung der westlichen Position

Im Londoner Ruhrstatut vom 28. April 1949 vereinbarten die drei westlichen Besatzungsmächte und die Beneluxländer, eine internationale Ruhrbehörde zu errichten. Im Petersberger Abkommen vom 24. November 1949 wurde die Bundesrepublik Deutschland Mitglied. In der Präambel des Statuts hieß es:

35 „Da die internationale Sicherheit und die allgemeine wirtschaftliche Gesundung erfordern,
daß die Hilfsquellen der Ruhr zukünftig nicht für Angriffszwecke verwendet werden, sondern im Interesse des Friedens,
daß der Zugang zur Kohle, zum Koks und zum Stahl der Ruhr, der früher der ausschließlichen Kontrolle durch Deutschland unterstand, zukünftig auf gerechter Grundlage den Ländern gewährleistet wird, die zum gemeinsamen wirtschaftlichen Besten zusammenarbeiten.

Da es wünschenswert ist im Hinblick auf die politische und wirtschaftliche Wohlfahrt der zum gemeinsamen wirtschaftlichen Besten zusammenarbeitenden Länder Europas, einschließlich eines demokratischen Deutschland, daß sie in enger wirtschaftlicher Verbindung miteinander stehen,
da es wichtig ist, daß der Handel zwischen den im vorhergehenden Absatz erwähnten Ländern durch Senkung der Handelsschranken und durch alle anderen Mittel erleichtert wird,
haben jetzt [die sechs Regierungen] vereinbart:
Art. 1. Hierdurch wird eine internationale Behörde für die Ruhr . . . eingerichtet . . .“   *J. Hohlfeld, Bd. VI, S. 326 f.*

Westdeutschlands Teilnahme an regionalen Sicherheitssystemen
propagierte Konrad Adenauer bereits als Präsident des Bonner Parlamentarischen Rates in Interviews. Nach der Gründung der NATO (4. April 1949) und unmittelbar nach Verkündung des Grundgesetzes für die BRD am 23. Mai 1949 erläuterte er BGG Art. 24, 1–2:

36 „Herr Präsident, sind Sie der Meinung, daß die Union der
europäischen Länder zustande kommt und daß Deutschland Mitglied werden soll?
Der Zusammenschluß der europäischen Länder zu einer Union ist eine Notwendigkeit, wenn Westeuropa nicht in die Gefahr kommen will, eines Tages von den hochorganisierten totalitären Staaten des Ostens überrannt zu werden . . . Totalitäre Mächte [geben] nur dann ihre aggressiven Ziele auf . . ., wenn sie mit einem Gegner zu rechnen haben, der nicht nur militärisch hoch gerüstet, sondern auch vom Willen beseelt ist, dieses Potential zur Verteidigung seiner Existenz unter allen Umständen einzusetzen . . . Selbstverständlich muß Deutschland Mitglied dieser europäischen Union werden. Es wird die vordringliche Aufgabe der hoffentlich bald ins Leben tretenden Bundesregierung sein, dafür zu sorgen, daß Deutschland gleichberechtigt und gleichverpflichtet am Aufbau dieser Union mitwirken kann.
Welche Bedeutung messen Sie dem Atlantik-Pakt zu?
Der Abschluß des Atlantik-Paktes ist ein entscheidender Schritt zur Sicherung der europäischen Welt gegenüber Asien. Ich bin überzeugt, daß die in diesem Pakt zum Ausdruck kommende Entschlossenheit der Vereinigten Staaten und ihrer Bundesgenossen, die westliche Welt im Falle eines Angriffs zu verteidigen, dazu beiträgt, die Gefahr eines dritten Weltkrieges um ein Bedeutendes zu vermindern.
Die Unruhe, die in den europäischen Ländern vor Abschluß des Paktes herrschte, hat einem gewissen Gefühl der Sicherheit und der

Stabilität Platz gemacht ... Die kommende deutsche Bundesregierung wird sich darum nach Kräften darum bemühen müssen, daß Deutschland als gleichberechtigter und gleichverpflichteter Partner diesem großen System der kollektiven Sicherheit eingeordnet wird."

West-Echo (Konstanz), 25. Mai 1949, zit. bei Gerhard Wettig, Politik im Rampenlicht. Aktionsweisen moderner Außenpolitik, Frankfurt/M. 1967, Fischer-Bücherei, Bd. 845, S. 93 f.

„Eine starke deutsche Verteidigungskraft" forderte Bundeskanzler Adenauer im Sommer 1950. Nachdem die Beratende Versammlung des Straßburger Europa-Rates am 11. August 1950 auf Vorschlag W. Churchills die sofortige Schaffung einer gemeinsamen europäischen Armee gefordert hatte, erklärte Adenauer in einem Interview mit der „New York Times" am 17. August 1950:

37 „Baut man eine Verteidigung auf oder nicht? Bis jetzt hat das deutsche Volk seine Haltung gegen die Drohung des Kommunismus durch sein Vertrauen auf die bewaffneten Streitkräfte der Vereinigten Staaten bewahrt. Die Ereignisse in Korea haben aber eine merkliche Auswirkung gehabt, und es besteht ein Gefühl der Hilflosigkeit, daß die Russen eines Tages die Macht ergreifen werden ...
Wir müssen die Notwendigkeit der Schaffung einer starken deutschen Verteidigungskraft erkennen. Ich will nicht von einer Armee oder Waffen sprechen, aber diese Streitmacht muß stark genug sein, um jede mögliche, den Vorgängen in Korea ähnelnde Aggression der Sowjetzonenvolkspolizei abzuwehren ... Offensichtlich müßte diese Verteidigungsstreitkraft von den Vereinigten Staaten bewaffnet werden ... Unsere Beteiligung an westeuropäischen Armeen sollte schnell entschieden werden ... Ebenso ist jedoch eine starke amerikanische Einwirkung auf die europäische Politik notwendig, um auf eine politische und soziale Einigung Westeuropas zu drängen, so wie die Vereinigten Staaten bereits erfolgreich auf die wirtschaftliche Integration Westeuropas hingewirkt haben ..."

J. Hohlfeld, Bd. VI, S. 531 f.

Mit der Sicherheit der Bundesrepublik Deutschland beschäftigten sich die Außenminister der westlichen Besatzungsmächte auf einer Konferenz in New York. Sie genehmigten die Aufstellung kasernierter Polizeitruppen „auf Landesebene" (Bereitschaftspolizei). In der Erklärung vom 19. September 1950 hieß es:

38 „Die alliierten Regierungen sind der Ansicht, daß ihre Streitkräfte in Deutschland außer ihren Besatzungsaufgaben noch die wichtige Aufgabe haben, als Sicherungstruppen zum Schutz und zur

Verteidigung der freien Welt, einschließlich der Deutschen Bundesrepublik und der Westsektoren Berlins, zu dienen. Um diesen Schutz wirksamer zu machen, werden die alliierten Regierungen ihre Truppen in Deutschland vermehren und verstärken. Sie werden jeglichen Angriff auf die Bundesrepublik oder Berlin von jeder Seite als einen Angriff auf sich selbst betrachten.

Die Minister stimmen vollkommen darin überein, daß die Wiederaufstellung einer deutschen nationalen Armee den Interessen Deutschlands und Europas nicht zum besten dienen würde. Sie glauben auch, daß dies die Absicht der großen Mehrheit des deutschen Volkes ist ...
Die Frage, die durch das Problem der Teilnahme der Deutschen Bundesrepublik an der gemeinsamen Verteidigung Europas aufgeworfen wird, ist zur Zeit Gegenstand von Untersuchungen und Gedankenaustausch." *J. Hohlfeld, Bd. VI, S. 535.*

Der französische Verteidigungsminister Jules Moch deutete die Erklärung von New York im britischen Rundfunk am 22. September 1950. Dies zitierte Gustav Heinemann am 13. Oktober 1950, nachdem er als Bundesminister des Inneren (CDU) wegen Adenauers Politik der westdeutschen Remilitarisierung (ohne vorherige Verhandlungen mit der UdSSR) zurückgetreten war (vgl. 59!):

39 „,Meine Aufgabe ist es, mit einer französischen Armee, die in Deutschland aufgebaut werden muß, die Russen im Falle eines Angriffs im Osten (!) aufzuhalten.' Herr Moch erklärte einige Wochen früher: ,Wir müssen den Schutz des Glacis sicherstellen, das der Sieg von 1945 uns zu besetzen erlaubt hat. Es ist die Schaffung eines Manöverfeldes Elbe-Rhein, die ständig unsere (!) oberste Sorge zu sein hat.'" *J. Hohlfeld, Bd. VI, S. 543.*

Der Streit um die Wege zur Wiedervereinigung

Wiedervereinigung mittels freier Wahlen forderte der Hohe Kommissar der USA in Deutschland, John J. McCloy, am 28. Februar 1950 in einer Presseerklärung:

40 „Ich habe ... erklärt, daß die politische Einigung Deutschlands auf der Grundlage freier gesamtdeutscher Wahlen ein Hauptziel der Politik der Vereinigten Staaten ist. Das Bestreben der Deutschen nach Einheit und Freiheit wird jetzt von den Kommunisten der Sowjetzone herausgefordert ... Die Wahlen in der Ostzone, die jetzt für den 15. Oktober angesetzt sind, werden als Gelegenheit proklamiert, den Volkswillen zum Ausdruck zu bringen. Es wird jedoch .

seien (W 22). Am 13. Februar 1952 forderte die Regierung der DDR von den vier Siegermächten, einen „Friedensvertrag *mit* Deutschland" abzuschließen, um der „Gefahr der Wiedergeburt des deutschen Militarismus" zu begegnen.

Bundeskanzler Adenauer formulierte das Ziel seiner „Politik der Stärke" laut „Nürnberger Nachrichten" vom 10. März 1952 folgendermaßen:

43 „Wenn der Russe sich der Tatsache eines wiederbewaffneten Deutschland gegenübersieht, dann wird er sich zum Verhandeln bereit erklären."

Stefan Doernberg, Kurze Geschichte der DDR, Berlin-Ost 1964, S. 188.

Aus dem Entwurf der Regierung der UdSSR für einen Friedensvertrag mit Deutschland vom 10. März 1952. In Noten an die drei Westmächte hieß es:

44 „Es versteht sich, daß ein solcher Friedensvertrag unter unmittelbarer Beteiligung Deutschlands, vertreten durch eine gesamtdeutsche Regierung, ausgearbeitet werden muß. Hieraus folgt, daß die UdSSR, die USA, Großbritannien und Frankreich, die in Deutschland Kontrollfunktionen ausüben, auch die Frage der Bedingungen prüfen müssen, die die schleunigste Bildung einer gesamtdeutschen, den Willen des deutschen Volkes ausdrückenden Regierung fördern ...
Grundlagen des Friedensvertrages mit Deutschland.
Die Teilnehmer
Großbritannien, die Sowjetunion, die USA, Frankreich, Polen, die Tschechoslowakei, Belgien, Holland und die anderen Staaten, die sich mit ihren Streitkräften am Krieg gegen Deutschland beteiligt haben.
Politische Leitsätze
1. Deutschland wird als einheitlicher Staat wiederhergestellt. Damit wird der Spaltung Deutschlands ein Ende gemacht, und das geeinte Deutschland gewinnt die Möglichkeit, sich als unabhängiger, demokratischer, friedliebender Staat zu entwickeln.
2. Sämtliche Streitkräfte der Besatzungsmächte müssen spätestens ein Jahr nach Inkrafttreten des Friedensvertrages aus Deutschland abgezogen werden. Gleichzeitig werden sämtliche ausländischen Militärstützpunkte auf dem Territorium Deutschlands liquidiert.
3. Dem deutschen Volke müssen die demokratischen Rechte gewährleistet sein, damit alle unter deutscher Rechtsprechung stehenden Personen ohne Unterschied der Rasse, des Geschlechts, der Sprache oder

der Religion die Menschenrechte und die Grundfreiheiten genießen, einschließlich der Redefreiheit, der Pressefreiheit, des Rechts der freien Religionsausübung, der Freiheit der politischen Überzeugung und der Versammlungsfreiheit.

4. In Deutschland muß den demokratischen Parteien und Organisationen freie Betätigung gewährleistet sein; sie müssen das Recht haben, über ihre inneren Angelegenheiten frei zu entscheiden, Tagungen und Versammlungen abzuhalten, Presse- und Publikationsfreiheit zu genießen.

5. Auf dem Territorium Deutschlands dürfen Organisationen, die der Demokratie und der Sache der Erhaltung des Friedens feindlich sind, nicht bestehen.

6. Allen ehemaligen Angehörigen der deutschen Armee, einschließlich der Offiziere und Generale, allen ehemaligen Nazis, mit Ausnahme derer, die nach Gerichtsurteil eine Strafe für von ihnen begangene Verbrechen verbüßen, müssen die gleichen bürgerlichen und politischen Rechte wie allen anderen deutschen Bürgern gewährt werden zur Teilnahme am Aufbau eines friedliebenden, demokratischen Deutschland.

7. Deutschland verpflichtet sich, keinerlei Koalitionen oder Militärbündnisse einzugehen, die sich gegen irgendeinen Staat richten, der mit seinen Streitkräften am Krieg gegen Deutschland teilgenommen hat.

Das Territorium

Das Territorium Deutschlands ist durch die Grenzen bestimmt, die durch die Beschlüsse der Potsdamer Konferenz der Großmächte festgelegt wurden.

Wirtschaftliche Leitsätze

Deutschland werden für die Entwicklung seiner Friedenswirtschaft, die der Hebung des Wohlstandes des deutschen Volkes dienen soll, keinerlei Beschränkungen auferlegt. Deutschland werden auch keinerlei Beschränkungen in bezug auf den Handel mit anderen Ländern, die Seeschiffahrt und den Zutritt zu den Weltmärkten auferlegt.

Militärische Leitsätze

1. Es wird Deutschland gestattet sein, eigene nationale Streitkräfte (Land-, Luft- und Seestreitkräfte) zu besitzen, die für die Verteidigung des Landes notwendig sind.

2. Deutschland wird die Erzeugung von Kriegsmaterial und -ausrüstung gestattet werden, deren Menge und Typen nicht über die Grenzen dessen hinausgehen dürfen, was für die Streitkräfte erforderlich ist, die für Deutschland durch den Friedensvertrag festgesetzt sind.

Deutschland und die Organisation der Vereinten Nationen

54

sam zu erreichen, darin besteht, Menschen und Hilfsquellen, soweit
das mit den militärischen Erfordernissen verträglich ist, in gemeinsamen Verteidigungsstreitkräften im Rahmen einer überstaatlichen
europäischen Organisation völlig zu verschmelzen.
Sie sind überzeugt, daß diese Verschmelzung, insbesondere ein gemeinsamer Haushalt und gemeinsame Rüstungsprogramme, zur
zweckmäßigsten und wirtschaftlichsten Verwendung der Hilfsquellen ihrer Länder führen wird. Sie sind entschlossen, auf diese Weise
die Entwicklung ihrer Wehrkraft zu sichern, ohne den sozialen Fortschritt zu beeinträchtigen ... Sie sind überzeugt, daß in der gemeinsamen Streitmacht, die ohne unterschiedliche Behandlung der beteiligten Staaten gebildet wird, die Vaterlandsliebe der Völker nicht
an Kraft verlieren, sondern sich vielmehr festigen und in erweiter-
tem Rahmen neue Gestalt finden wird. Sie tun diesen Schritt in dem
Bewußtsein, hiermit einen weiteren und bedeutsamen Abschnitt auf
dem Wege zur Schaffung eines geeinten Europa zurückzulegen.“

*Auswärtiges Amt [der BRD] (Hg.), Europa. Dokumente zur Frage der europäischen
Einigung, Bonn 1953, S. 350.*

Sperrzonen-Verordnung der Regierung der DDR vom 26. Mai 1952[10]:

48 „§ 1. Das Ministerium für Staatssicherheit wird beauftragt,
unverzüglich strenge Maßnahmen zu treffen für die Verstärkung der Bewachung der Demarkationslinie zwischen der Deutschen
Demokratischen Republik und den westlichen Besatzungszonen, um
ein weiteres Eindringen von Diversanten, Spionen, Terroristen und
Schädlingen in das Gebiet der Deutschen Demokratischen Republik
zu verhindern.“ *J. Hohlfeld, Bd. VII, S. 354.*

Den „**Aufbau des Sozialismus**“ in der DDR proklamierte die II. Par-
teikonferenz der SED in Berlin. Sie entsprach der Forderung des Zentral-
Komitees der SED. Der Generalsekretär der SED, Walter Ulbricht, hatte
am 9. Juli 1952 gesagt:

49 „Das Hauptinstrument bei der Schaffung der Grundlagen des
Sozialismus ist die Staatsmacht ... Was sind die Aufgaben der
Staatsmacht in der DDR? 1. Brechung des Widerstandes der gestürz-
ten und enteigneten Großkapitalisten und Großagrarier. Liquidie-
rung aller ihrer Versuche, die Macht des Kapitals wiederherzustellen.
2. Organisierung des Aufbaus des Sozialismus mit Hilfe des Zusam-

10 Vergleichen Sie Q 22: 30. Juni 1946!

menschlusses aller Werktätigen um die Arbeiterklasse. 3. Schaffung
der bewaffneten Streitkräfte der DDR zur Verteidigung der Heimat
gegen die äußeren Feinde, zum Kampf gegen den Imperialismus . . .
Wir halten nach wie vor an unseren Vorschlägen zur Herbeiführung
eines Friedensvertrages und der Einheit Deutschlands fest. Die Frage,
welche gesellschaftliche Ordnung nach der Vereinigung in ganz
Deutschland errichtet werden soll, wird vom ganzen deutschen Volk
ohne irgendwelche ausländische Einmischung entschieden werden..."

J. Hohlfeld, Bd. VII, S. 390 f.

Der Historiker Stefan Doernberg (SED) urteilte:

50 *„Die Adenauer-Regierung hatte mit dem Abschluß der Bonner
und der Pariser Verträge und der Ablehnung aller Friedensvor-
schläge der DDR, der Sowjetunion und der anderen sozialistischen
Staaten die Spaltung Deutschlands wesentlich vertieft. Die herrschenden imperialistischen Kreise Westdeutschlands forderten immer offe-
ner eine gewaltsame Eroberung der DDR . . . In dieser Situation waren
entscheidende Maßnahmen notwendig, um den ersten Arbeiter-und-
Bauern-Staat weiter zu stärken . . . In dem einheitlichen kontinuier-
lichen Prozeß der volksdemokratischen Revolution hatte die sozia-
listische Umwälzung bereits schon vorher eingesetzt . . . Trotzdem
hatten die Partei der Arbeiterklasse und die Regierung der DDR die
Durchführung einer Reihe von objektiv herangereiften Aufgaben der
sozialistischen Umwälzung hinausgezögert, um die noch vorhandenen Möglichkeiten für eine rasche Wiedervereinigung und eine offene
demokratische Auseinandersetzung mit den Kräften des Imperialismus im Rahmen eines einigen deutschen Staates bis ins letzte aus-
zuschöpfen."* *S. Doernberg, a. a. O., S. 198.*

Auf westlicher Seite rechnete mancher Politiker seit geraumer Zeit damit,
daß Stalin bald sterben und dann Unruhen sowie Streit unter den Nach-
folgern den gesamten sowjetrussischen Machtbereich erschüttern würden.
Nach dem Tod Stalins (5. März 1953) mußte es sich herausstellen, ob diese
Prognose zutraf oder ob es einer neuen Führung in der UdSSR gelingen
würde, der Schwierigkeiten eines Machtwechsels Herr zu werden, vielleicht
sogar europäische Probleme (bes. den Staatsvertrag über Österreich, das
von den vier Mächten besetzt war, die Deutsche Frage) gemeinsam mit den
Westmächten zu lösen. Auch auf westlicher Seite gab es unterschiedliche
Meinungen. In den USA amtierte seit Anfang 1953 der republikanische
Präsident Eisenhower. Der Secretary of State, John Foster Dulles, schien
den seit Jahren propagierten Roll-back-Angriff gegen den Kommunismus
verwirklichen zu wollen (W 58). Demgegenüber sprachen sich die britische
Regierung sowie die Opposition in der BRD dafür aus, eine Verständigung

konzentrieren und den eigentlich bestimmenden Faktor übersehen –
die Passivität der westlichen, auch der westdeutschen Außenpolitik
in den kritischen Monaten nach Stalins Tod. Die Initiative Churchills
war in Moskau beachtet worden; in den Kanzleien der Westmächte
und auch in Bonn war sie ohne positives Echo geblieben ... Die Aus-
sicht auf einen Deutschlandkompromiß ... muß so den Sowjetführern
von Woche zu Woche geringer erschienen sein; und die Gefahren
eines Schwankens der sowjetischen Deutschlandpolitik, die der
17. Juni zeigte, sprachen eine um so überzeugendere Sprache, je
weniger ihnen eine solche Aussicht gegenüberstand. So gesehen be-
zeichnet der 17. Juni nicht nur eine Krise der sowjetischen, sondern
eine verpaßte Chance der westlichen Politik."

In: Arnulf Baring, Der 17. Juni 1953, Köln-Berlin 1965, S. 15 f.

Nach dem Wahlsieg der CDU/CSU im September 1953 einigten sich die
vier Besatzungsmächte darüber, vor dem Inkrafttreten der Verträge über
die militärische Westintegration der BRD in Berlin eine Außenminister-
konferenz über die Deutsche Frage zu veranstalten. Sie fand vom 25. Januar bis zum 18. Februar 1954 statt. Die gegensätzlichen Standpunkte der
Mächte wurden erneut deutlich. Eine Einigung blieb aus.

**Einen sowjetrussischen Vorschlag für den Friedensvertrag mit
Deutschland** legte Außenminister Molotow am 1. Februar 1954 vor. Ihm
lag der Entwurf vom 10. März 1952 zugrunde; folgende Bestimmungen
waren jetzt hinzugefügt (vgl. 44):

54 „Deutschland werden keinerlei Verpflichtungen politischen oder
militärischen Charakters auferlegt, die sich aus Verträgen oder
Abkommen ergeben, die von den Regierungen der Bundesrepublik
Deutschland oder der DDR vor dem Abschluß des Friedensvertrages
mit Deutschland und der Wiedervereinigung Deutschlands zu einem
einheitlichen Staat abgeschlossen wurden.
Deutschland wird von der Zahlung der staatlichen Nachkriegs-
schulden an die USA, Großbritannien, Frankreich und die UdSSR,
mit Ausnahme der Verschuldung aus den Handelsverpflichtungen,
vollkommen befreit.
Die Größe ... [der nationalen] Streitkräfte wird entsprechend den
Aufgaben inneren Charakters, der lokalen Verteidigung der Grenzen und des Luftschutzes beschränkt sein."

Heinrich von Siegler (Hg.), Dokumentation zur Deutschlandfrage, Hauptband I, Bonn-Wien-Zürich ²1961, S. 187 f.

Die Pariser Verträge

In den folgenden Monaten setzten die vier Besatzungsmächte ihren Notenwechsel über die Deutsche Frage fort. Am 26. März 1954 ergänzte die Mehrheit des Deutschen Bundestages das BGG um den Artikel 142 a; so sollte die Remilitarisierung verfassungsrechtlich erleichtert werden. Am 30. August lehnte das französische Parlament es ab, den EVG-Vertrag zu ratifizieren. In neuen Verhandlungen arbeiteten die USA, Großbritannien, Kanada und die Mitglieder der Montanunion eine neue Konzeption für die militärische Integration der BRD aus: Gemäß den Pariser Protokollen vom 23. Oktober 1954 sollten gleichzeitig das Besatzungsregime samt Alliierter Hoher Kommissare beseitigt und die BRD Mitglied von NATO und Brüsseler Westeuropäischer Union (WEU) werden. Die Sowjetregierung bemühte sich vergeblich, diese Lösung zu vereiteln (55). Am 5. Mai 1955 traten die Pariser Verträge in Kraft. Die Bundesregierung erklärte, daß die BRD jetzt ein freier und unabhängiger Staat geworden sei. Am 9. Mai 1955 wurde die BRD in die NATO aufgenommen (57). Am 14. Mai vereinbarte die UdSSR mit ihren osteuropäischen Verbündeten in Warschau einen Beistandspakt (W 24); die DDR wurde 1956 Mitglied. Am 15. Mai 1955 unterzeichneten die vier Besatzungsmächte den österreichischen Staatsvertrag; Österreich verpflichtete sich nach Abzug der fremden Truppen zur Neutralität.

Erklärung der UdSSR zur Deutschlandfrage am 15. Januar 1955:

55 „Gegenwärtig gibt es noch ungenützte Möglichkeiten zur Erreichung eines Abkommens in der Frage der Wiedervereinigung Deutschlands unter gebührender Berücksichtigung der rechtmäßigen Interessen des deutschen Volkes und über die Durchführung von gesamtdeutschen freien Wahlen zu diesem Zweck im Jahre 1955. Solche Möglichkeiten sind vorhanden, wenn das Haupthindernis, das jetzt auf dem Wege zur Wiedervereinigung Deutschlands steht – die Pläne der Remilitarisierung Westdeutschlands und seiner Einbeziehung in militärische Gruppierungen –, beseitigt sein wird.

Das deutsche Volk muß durch die Abhaltung allgemeiner freier Wahlen in ganz Deutschland, einschließlich Berlin, die Möglichkeit haben, seinen freien Willen zu äußern, damit ein einheitliches Deutschland als Großmacht wiederersteht und einen würdigen Platz unter den anderen Mächten einnimmt.

Bei diesen Wahlen müssen die demokratischen Rechte der deutschen Bürger gewährleistet sein ... Um ein Übereinkommen über die Durchführung dieser Wahlen zu erleichtern, hält es die Sowjetregierung für möglich, falls sich die Regierungen der DDR und der Deutschen Bundesrepublik damit einverstanden erklären, sich über

sentliches Ziel ihrer gemeinsamen Politik eine zwischen Deutschland und seinen ehemaligen Gegnern frei vereinbarte friedensvertragliche Regelung für ganz Deutschland ist, welche die Grundlage für einen dauerhaften Frieden bilden soll. Sie sind weiterhin darüber einig, daß die endgültige Festlegung der Grenzen Deutschlands bis zu dieser Regelung aufgeschoben werden muß. (2) Bis zum Abschluß der friedensvertraglichen Regelung werden die Unterzeichnerstaaten zusammenwirken, um mit friedlichen Mitteln ihr gemeinsames Ziel zu verwirklichen: Ein wiedervereinigtes Deutschland, das eine freiheitlich-demokratische Verfassung, ähnlich wie die Bundesrepublik, besitzt und das in die europäische Gemeinschaft integriert ist ...
Art. 8 [Zusatzverträge]
Art. 9 [Schiedsgericht] ... (3) Streitigkeiten, welche die in Artikel 2 ... und den ersten beiden Sätzen des Absatzes (2) des Artikels 5 angeführten Rechte der Drei Mächte oder Maßnahmen auf Grund der Rechte berühren, unterliegen nicht der Gerichtsbarkeit des Schiedsgerichts oder eines anderen Gerichts.
Art. 10. Die Unterzeichnerstaaten überprüfen die Bestimmungen dieses Vertrages und der Zusatzverträge:
a) auf Ersuchen eines von ihnen im Falle der Wiedervereinigung Deutschlands oder einer unter Beteiligung oder mit Zustimmung der Staaten, die Mitglieder dieses Vertrages sind, erzielten internationalen Verständigung über Maßnahmen zur Herbeiführung der Wiedervereinigung Deutschlands oder der Bildung einer europäischen Föderation, oder b) in jeder Lage, die nach Auffassung aller Unterzeichnerstaaten aus einer Änderung grundlegenden Charakters in den bis zur Zeit des Inkrafttretens des Vertrags bestehenden Verhältnissen entstanden ist ..." *BGBl. 1955, II, S. 305 f.*

Realpolitisches Urteil des führenden britischen Deutschland-Experten, Lord Strang, über die Pariser Verträge. Der Verf. war 1943–1945 britisches Mitglied der European Advisory Commission (vgl. 3), 1945-1947 Politischer Berater des Oberbefehlshabers der britischen Besatzungsarmee in Deutschland, 1949–1953 Ständiger Unterstaatssekretär im Foreign Office gewesen.

57a „Falls die Absichten sowohl der Westmächte als auch der Sowjetunion in bezug auf Deutschland aus ihren Taten erschlossen werden sollen, ist es klar, daß ihr unmittelbares Ziel darin bestanden hat und bestehen bleibt, ihren jeweiligen Einflußbereich immer enger mit ihrem eigenen politischen System zu verbinden. Von diesem Standpunkt aus stellen die Pariser Verträge nur den krönenden Abschluß eines Prozesses dar, der 1947 begonnen wurde. Beide Seiten scheinen, wenn schon in keinem anderen, dann in diesem Punkt übereinzustimmen in der Meinung, daß sie Deutschland nicht zu jenen Bedingungen wiedervereinigen können, die sie im Interesse ihrer je eigenen Sicherheit voraussetzen müssen, und daß sie es deshalb für besser halten, daß Deutschland geteilt bleiben sollte, und daß kein Gedanke an eine künftige Wiedervereinigung, die beide Seiten als ihr jeweils höchstes Ziel bezeichnen, sie daran hindern sollte, in ihren Einflußbereichen jene politische und militärische Orientierung herbeizuführen, die ihrer politischen Strategie in jenem Wettbewerb um die Zukunft Europas und der Welt am besten entspricht, auf den sie sich jetzt eingelassen haben."

Lord Strang of Stonesfield: Germany between East and West. In: Foreign Affairs.
Vol. 33 (April 1955), S. 393 f.

Freie Wahlen als unabdingbare Forderung der Westmächte seit 1950 verteidigte der Politikwissenschaftler und Publizist Dolf Sternberger. Er ging dabei von den Erfahrungen mit der Jalta-Formel für Polen (W 6) sowie von den Memoiren Anthony Edens (1960) aus:

58 *„Beide Seiten müssen bei ihren so unterschiedlichen Projekten und Methoden mindestens zuzeiten auch eine reale Chance gesehen ... haben. Die Westmächte berechtigte dazu das Vertrauen in die Universalität des Legitimitätsprinzips der allgemeinen Wahl, die Sowjetunion mag ihre zeitweilige Zuversicht eher an die Wirksamkeit der völkerrechtlichen Verpflichtung geknüpft haben, daß ein Friedensvertrag mit Deutschland geschlossen werden müsse ...*
[Die] westlichen Motive, Ziele und Methoden in den Verhandlungen über die deutsche Frage ...: die Erwartung, der russische Außenminister werde auf freie Wahlen nicht eingehen, [der] Entschluß, an der Verfolgung der Europäischen Verteidigungsgemeinschaft festzuhalten, und die Reserve-Idee, auch eine gescheiterte Konferenz werde ihren Nutzen haben, nämlich den, der Sowjetunion eine moralische Niederlage in den Augen der übrigen Welt zu bereiten ... Nimmt man diese drei Elemente zusammen ..., so könnte man allerdings an dem Ernst [des britischen Außenministers bzw. Premierministers] Eden und des Westens zweifeln, ... ein positives Verhandlungsergebnis zu erzielen ... Jedes andere Konzept hätte über kurz oder lang zur Entstehung einer Satellitenregierung der Sowjets führen oder die Hand leihen müssen. Und wenn es schlechterdings unmöglich war,

66

Eine Chance für die Wiedervereinigung? Vielleicht – aber nur für eine ganz anders konzipierte Deutschlandpolitik des Westens. Die Suche nach dieser Alternative geht weiter.

G. Meyer, Eine verpaßte Chance? Das sowjetische Angebot von 1952. In: „Der Bürger im Staat", 19. Jg. (1969), S. 61–65; Zitat S. 65. Vgl. G. Meyer, Die sowjetische Deutschland-Politik im Jahre 1952 = Bd. 24 der „Forschungsberichte und Untersuchungen zur Zeitgeschichte" der Arbeitsgemeinschaft für Osteuropaforschung, Köln-Graz 1970.

Über die Deutschlandpolitik der Besatzungsmächte seit 1952 urteilte der Historiker Eberhard Jäckel:

62 „Die Deutschlandpolitik der vier Mächte bestand jedoch nicht nur aus dieser ‚Reaktionspolitik‘, d. h. aus der gegenseitigen Erwiderung von vollendeten Tatsachen, sondern auch parallel dazu aus einem immer erneuten Versuch, auch das Deutschlandgespräch der vier Mächte wieder in Gang zu bringen. Dieses hat jedoch primär nicht die Lösung der deutschen Frage zum Ziel, sondern im größeren Zusammenhang der übergeordneten ‚Reaktionspolitik‘ vor allem die sekundäre Aufgabe einer Verhinderung oder Verlangsamung der Aktionen der beiden Seiten ... Weiterhin kennzeichnet den Notenwechsel, daß er fast nie eigentliche Diskussion einer einzelnen Frage ist ..., sondern im allgemeinen ein politischer Kampf um die Totalität der Positionen. Als Lösungsmöglichkeit bleibt dann nur das Eingehen des einen auf die Gesamtheit der Forderungen des anderen, was die Unmöglichkeit eines Übereinkommens von vornherein klar impliziert ... Sprechen die austauschenden Regierungen nicht im eigentlichen Sinne miteinander, sondern zur Öffentlichkeit, so folgt daraus, daß sie auch aufeinander nicht hören, auf vorgetragene Argumente nicht eingehen. Das gesamte Ost-West-Verhältnis ist gelegentlich als ein ... Gespräch zwischen tauben Leuten [bezeichnet worden]."

E. Jäckel (Hg.), Die Deutsche Frage 1952–1956. Notenwechsel und Konferenzdokumente der vier Mächte. Heft XXIII der Dokumente, Hg.: Forschungsstelle für Völkerrecht und ausländisches öffentliches Recht der Universität Hamburg usw., Frankfurt/M.-Berlin 1957, S. 10, 12.

Die „Deutschländer" von der Okkupation zur Integration verglich der Politikwissenschaftler Ernst Richert:

63 „Die sowjetische Besatzungsmacht hat der Sowjetzone Deutschlands nur in dem Maße Hoheitsbefugnisse delegiert, wie die DDR Zug um Zug gleichzeitig in die übergreifenden Integrationsgefüge des Ostblocks eingegliedert wurde. In dieser Hinsicht verlief

*die Entwicklung in Westdeutschland ähnlich, denn sowohl im Bonn-
Pariser Deutschland-Vertragswerk vom Mai 1952 als auch in den
Pariser Verträgen von 1954 war der schrittweise Abbau des Besatzungsregimes an die politisch-militärische Integration in das supranationale Gefüge der EVG bzw. der NATO gebunden. Angesichts
des in beiden Fällen fehlenden Friedensvertrages und der damit
zwangsläufig weiterbestehenden Verpflichtungen der Siegermächte
– de jure für ganz Deutschland, de facto für den jeweiligen Einflußbereich – könnte das auch schwerlich anders sein.*

*Beide ‚Deutschländer' – mit diesem Ausdruck ... soll ... lediglich
die Faktizität im Sinne der politischen Wissenschaft beschrieben werden – haben also mit den Vertragswerken der Jahre 1952 bis 1957
und nicht zuletzt mit den dazugehörigen Truppenverträgen nach
einer in beiden Fällen seit 1949 andauernden Phase förmlicher, diplomatisch ausgewiesener Eigenstaatlichkeit keine volle Souveränität im
traditionellen Sinn erhalten. Vielmehr wurde das diskriminierende
Fehlen der Souveränität in der Okkupationsphase gegen eine keineswegs mehr diskriminierende Eingliederung in supranationale Gefüge eingetauscht, wobei die beiden Teile Deutschlands nun als gleich-
rangig mit den übrigen integrierten Staaten erscheinen, also einerseits
etwa mit Polen und der Tschechoslowakei, andererseits mit Frankreich, Belgien oder den Niederlanden. Die Übertragung wesentlicher
Hoheitsbefugnisse impliziert in beiden Fällen die Option für eine
bestimmte internationale Blockpolitik und damit die Umrisse einer
bestimmten Außenpolitik, ferner die Eingliederung der vorhandenen
bzw. im Aufbau begriffenen bewaffneten Kräfte in ein supranatio-
nales, dieser Politik dienstbares Gefüge, d. h. entgegen dem traditionellen Souveränitätsbegriff das Nicht-Verfügen über diese Kräfte
nach nationalem Gutdünken; ferner ist eine bestimmte Ideologie
damit verbunden, aus der sich der supranationale Block rechtfertigt
und als notwendig interpretiert und die sich wiederum zwangsläufig
auf die soziale und ökonomische Ordnung sowie den angewandten
Herrschaftsstil in dem betreffenden deutschen Teilstaat auswirkt. Zu
alldem kam im Laufe der Jahre ... ein verstärkter Zug zum wirtschaftlichen Großraum (EWG bzw. RGW). Dabei muß sogleich an-
gemerkt werden, daß die Entwicklung auf beiden Seiten sehr unterschiedlich begann ... War die Bundesrepublik zu Beginn verstärkter
wirtschaftlicher Integration – nicht zuletzt durch eine enorme Start-
hilfe der Sieger ... – bereits eine Wirtschaftsmacht ersten Ranges, so
wurde die Wirtschaftskraft der DDR erst mit der Funktionalisierung
des ... erst nach 1953 aktivierten RGW entwickelt ...
Ein fundamentaler Unterschied ... Seit ihrer Gründung ist die Bundesrepublik innenpolitisch ein pluralitäres Gebilde; ... dagegen*

biniert mit Kernwaffenladungen) seit Winter 1956/57 öffentlich Pläne
erörtert, die Bundeswehr (aufgestellt seit 1956) mit Kernwaffen aus-
zurüsten (66–67, 70–71, vgl. W 63). Dienten kommunistische Forderungen nur dazu, diese Entwicklung in Deutschland zu verhindern
(68, vgl. W 29, 30, S. 67 f.)? War die Bundesregierung gar bereit, die
Existenz zweier Staaten auf dem Gebiet Rumpfdeutschlands und den
gesamten Status quo anzuerkennen (69)?
Mehrere Entscheidungen und Sachverhalte bestimmten 1957/58 die
Lage in Westeuropa. Besonders auf dem Gebiet der BRD stationierten
die USA Mittelstreckenraketen mit Kernsprengköpfen; die Staaten der
Montanunion bauten seit Anfang 1958 einen Binnenmarkt (EWG, W 53)
sowie die gemeinsame Erforschung und Nutzung der Kernenergie
(EURATOM) auf; die Roll-back-Propaganda spielte wieder eine Rolle
(W 62). Die Änderungen in der sowjetrussischen Außenpolitik 1956/57
(W 32–33) hatten die Haltung der Westmächte nicht beeinflußt. Seit
Herbst 1958 reagierte die UdSSR scharf (vgl. 1948/49: 72–74). Die West-
mächte wichen nicht zurück, weder in West-Berlin noch rüstungspolitisch.
Sie respektierten jedoch de facto die Teilung Berlins und Rumpfdeutsch-
lands (83, vgl. 17. Juni 1953).

Die Genfer Direktiven

Aus den Direktiven der Genfer Konferenz der Regierungschefs
vom 23. Juli 1955 für die Konferenz der Außenminister im Oktober 1955
in Genf:

64 „Die Regierungschefs Frankreichs, Großbritanniens, der Sowjetunion und der Vereinigten Staaten, von dem Wunsche geleitet, zur Verminderung der internationalen Spannungen und zur
Festigung des Vertrauens zwischen den Staaten beizutragen, beauf-
tragten ihre Außenminister, die Behandlung folgender Fragen fortzusetzen ... und wirksame Mittel für ihre Lösung vorzuschlagen,
wobei sie die enge Verbindung zwischen der Wiedervereinigung
Deutschlands und dem Problem der europäischen Sicherheit und die
Tatsache berücksichtigen sollen, daß eine erfolgreiche Regelung eines
jeden dieser Probleme dem Interesse der Festigung des Friedens
dienen würde.
1. Europäische Sicherheit und Deutschland
Zum Zwecke der europäischen Sicherheit bei gebührender Berücksichtigung der rechtmäßigen Interessen aller Nationen und ihrem
unveräußerlichen Recht auf individuelle und kollektive Verteidigung werden die Minister angewiesen, verschiedene, diesem Ziel
dienende Vorschläge zu prüfen, darunter die folgenden:
Einen Sicherheitspakt für Europa oder für einen Teil Europas einschließlich einer Klausel, der zufolge die Mitglieder die Verpflichtung

übernehmen, keine Gewalt anzuwenden und einem Angreifer jegliche
Unterstützung zu versagen,
Begrenzung, Kontrolle und Inspektion der bewaffneten Streitkräfte
und der Rüstung,
der Errichtung einer zwischen dem Osten und dem Westen liegenden
Zone, in der die Stationierung bewaffneter Streitkräfte gegenseitiger
Zustimmung unterliegt,
und auch andere mögliche Vorschläge zur Lösung dieses Problems
zu erwägen.

Die Regierungschefs sind in Erkenntnis ihrer gemeinsamen Verantwortung für die Regelung des deutschen Problems und der Wiedervereinigung Deutschlands mittels freier Wahlen übereingekommen,
daß die Lösung der deutschen Frage und die Wiedervereinigung
Deutschlands im Einklang mit den nationalen Interessen des deutschen Volkes und den Interessen der europäischen Sicherheit herbeigeführt werden soll. Die Außenminister werden die nach ihrem Ermessen erforderlichen Vorkehrungen für die Teilnahme oder für die
Konsultation anderer interessierter Parteien treffen.
2. Abrüstung . . .“

Bundesministerium für gesamtdeutsche Fragen (Hg.), a. a. O., II. Teil, ²1958, S. 207 f.

Die sowjetrussische Deutung der Direktiven formulierte der Erste
Sekretär des ZK der KPdSU, N. S. Chruschtschow, am 26. Juli 1955 in
Berlin (Ost):

65 „Wir haben in Genf aufrichtig erklärt, daß unter den Bedingungen, daß auf dem Gebiet Deutschlands zwei Staaten mit
verschiedenartiger gesellschaftlicher und wirtschaftlicher Ordnung
entstanden sind, daß Westdeutschland Teilnehmer des Nordatlantik-
paktes und der Westeuropäischen Union ist, die Lösung des deutschen Problems eine schwierige Angelegenheit ist. Für seine Lösung
unter den gegenwärtigen Bedingungen sind große und ernsthafte
Anstrengungen sowohl seitens der Großmächte als auch insbesondere
seitens des deutschen Volkes in beiden Teilen Deutschlands selbst
erforderlich. Das beste aber wäre, wenn die deutsche Frage die Deutschen selbst lösen würden, die zweifelsohne den richtigen Weg für
die Entwicklung Deutschlands wählen können.
Man kann nicht umhin, daß jetzt in Europa neue Verhältnisse entstanden sind und daß wir auf der Suche nach Wegen zur Vereinigung
Deutschlands diese Verhältnisse in Rechnung stellen müssen. Ist
denn nicht klar, daß die mechanische Vereinigung beider Teile
Deutschlands, die sich in verschiedenen Richtungen entwickeln, eine
unreale Sache ist? In der entstandenen Situation ist der einzige Weg
zur Vereinigung Deutschlands die Schaffung eines Systems der kol-

Truppen vom Territorium Deutschlands abgezogen sind und die ausländischen Militärstützpunkte liquidiert wurden. Die aus diesen gesamtdeutschen Wahlen hervorgegangene Nationalversammlung hat die hohe Verantwortung, die Verfassung auszuarbeiten und aus ihrer Mitte eine Regierung zu bilden, die dem Frieden, der Demokratie und dem Fortschritt dient und in der kein Platz ist für eine imperialistische Politik."

Karl Bittel (Hg.), Ein Deutscher Staatenbund (Konföderation). Kleine Dokumentensammlung, Berlin-Ost ²1957, S. 12–14.

Dieses Maximalprogramm hatte Ulbricht gegen den Widerstand einer „Gruppe von leitenden Genossen" innerhalb des ZK der SED durchgesetzt; zu ihr gehörte Ernst Wollweber, 1955 bis November 1957 Minister für Staatssicherheit. Da die Widerstrebenden weiterhin die Deutschlandpolitik Ulbrichts bekämpften, wurden sie am 6. Februar 1958 aus dem ZK der SED ausgeschlossen. Zuvor hatte die Regierung der DDR am 27. Juli 1957 vergeblich versucht, während des Bundestagswahlkampfes mit geringeren Forderungen die atomare Bewaffnung der Bundeswehr zu verhindern.

Primat von Freiheit oder Einheit? Bundesverteidigungsminister Strauß (CSU) stellte am 20. März 1958 im Deutschen Bundestag fest:

69 „Ist es denn wirklich die Wiedervereinigung, die uns in erster Linie drängt, quält, bedrückt, treibt? Es ist doch weniger die Wiedervereinigung im Sinne der Wiederherstellung der staatlichen Einheit Deutschlands; es ist [viel]mehr das Herzensanliegen der Wiederherstellung demokratischer und menschenwürdiger Zustände in diesem Gebiet."

Zit. von Karl Jaspers, Freiheit und Wiedervereinigung. Über Aufgaben deutscher Politik, München 1960, S. 115.

Über die Funktion der Kernwaffen für die Bundeswehr äußerte sich am 23. Januar 1958 im Deutschen Bundestag Baron Manteuffel-Szoege (CDU/CSU):

70 „Ich bin Vertriebener. Ein großer Teil meiner Angehörigen ist von den Bolschewiki ... ermordet worden ... Ich bin fest überzeugt, ... bei vielen [Christen] wird die Erkenntnis dazu führen, daß man auch mit den alten und mit anderen Waffen das Böse bis zum letzten Atemzug bekämpfen muß. (Abg. Wehner [SPD] und Abg. Mommer [SPD]: Mit Atomwaffen das Böse ausrotten?!) – Ja!
(Abg. Wehner: Ja?)
– Jawohl! (Abg. Wehner: Dazu stehen Sie?) Ja! Ich weiß, ... Sie werden mich damit ... bekämpfen, (Abg. Wehner: Ja!) und ich bleibe bei dieser inneren Überzeugung.
(Beifall bei den Regierungsparteien [CDU/CSU und DP].)"

Das Parlament, 29. Januar 1958, S. 24.

Zustimmung zu den Rüstungsforderungen der NATO. Die Mehrheit des Deutschen Bundestages beschloß am 25. März 1958 (vgl. W 34):

71 „Solange der Kommunismus seine weltrevolutionären Ziele weiterverfolgt, die er noch im November 1957 auf der Tagung der Kommunistischen und Arbeiterparteien der sozialistischen Länder in Moskau bekräftigt hat, können Friede und Freiheit nur durch eine gemeinsame Verteidigungsanstrengung der freien Welt gesichert werden ... In Übereinstimmung mit den Erfordernissen ... [der NATO] und angesichts der Aufrüstung des möglichen Gegners müssen die Streitkräfte der Bundesrepublik mit den modernsten Waffen ... ausgerüstet werden."   *H. v. Siegler, a. a. O., Bd. 21, S. 765.*

Chruschtschows Reaktion

Am 27. März 1958 wurde der Erste Sekretär des ZK der KPdSU, Nikita S. Chruschtschow, Ministerpräsident der UdSSR. Sein Erster Stellvertreter, Anastasij J. Mikojan, versuchte im April 1958 in Bonn vergeblich, über Rüstungsbeschränkungen direkt mit der Bundesregierung zu verhandeln (Kern- und Raketenwaffen), um so die Sicherheit Europas zu gewährleisten. Von diesem Problem, das sie als wesentlich bezeichnete, unterschied die Sowjetregierung seit 1955 die Deutschlandfrage: Eine „Verbindung hatte ihre Geschichte, aber jene Zeiten sind schon vorüber" (Chruschtschow 14. März 1958) (vgl. Haltung der USA 1945–47: Text vor 20). Nach einem Notenwechsel zwischen den vier Mächten – unter Teilnahme der Regierungen in Bonn und Berlin – verlangte die Regierung der DDR am 4. September 1958, daß ein „Friedensvertrag mit Deutschland" abgeschlossen werden müsse. Stellte dies den letzten Versuch der Kommunisten dar, die unbeschränkte Aufrüstung in Mitteleuropa zu verhindern?
Als Ansatzpunkt wählte die UdSSR erneut (vgl. 1948!) Berlin. Entsprechend einer Anregung des Verlegers Axel C. Springer und des Publizisten Hans Zehrer („Die Welt"; Interview mit Chruschtschow am 28. Januar 1958 in Moskau), die der Wiedervereinigung des deutschen Volkes hatte dienen sollen, forderte Chruschtschow jetzt im Sinn der sowjetrussischen Politik die „Normalisierung der Lage in Berlin" als Ausgangspunkt für die Sicherheit Europas. Anschließend legte er eine Gesamtkonzeption vor (72–74).

Chruschtschows Berlin-Initiative vom 10. November 1958. In Noten an die Westmächte (27. November 1958) kündigte die Sowjetregierung mit ähnlichen Begründungen die entsprechenden Verträge (vgl. 3) und nannte ultimativ eine Frist von sechs Monaten.

72 „Die Deutschlandfrage, wenn man darunter die Vereinigung der beiden gegenwärtig bestehenden deutschen Staaten versteht, kann nur vom deutschen Volk selbst auf dem Weg der Annäherung einten Mächte begangen oder mit deren Sache sympathisiert hat, desgleichen auf Grund der Tatsache, daß diese Person in der Zeit vor dem Inkrafttreten dieses Vertrages Handlungen begangen hat, die darauf abzielten, die Erfüllung der gemeinsamen Beschlüsse der UdSSR, der USA, des Vereinigten Königreiches von Großbritannien und Nordirland und Frankreichs über Deutschland oder irgendeiner der auf Grund dieser Beschlüsse herausgegebenen Proklamationen, Befehle, Anweisungen und Instruktionen zu erleichtern.

V. Politische Parteien und andere Organisationen.

Art. 16. Mit Ausnahme der in den Artikeln 13 [Propaganda für den Anschluß Österreichs], 17 und 18 genannten Parteien und Organisationen wird Deutschland die freie Betätigung der politischen Parteien und anderen Organisationen gewährleisten ... [weiter wie 44, Punkt 4]

Art. 17. Deutschland verpflichtet sich, das Wiedererstehen, die Existenz und Tätigkeit der Nationalsozialistischen Partei und ihrer Gliederungen oder unter ihrer Kontrolle befindlicher Organisationen auf dem Territorium Deutschlands einschließlich der politischen, militärischen und halbmilitärischen Organisationen wie auch die Entstehung und Tätigkeit anderer ähnlicher Parteien und Organisationen und insbesondere revanchistischer Parteien und Organisationen, die eine Überprüfung der Grenzen Deutschlands fordern oder territoriale Ansprüche an andere Staaten zum Ausdruck bringen, unter der Androhung strafrechtlicher Verfolgung nicht zuzulassen.

Art. 18. Deutschland verpflichtet sich, jegliche Organisationen, darunter auch Emigrantenorganisationen, die eine feindliche Tätigkeit gegen irgendeine der Verbündeten oder Vereinten Mächte betreiben, aufzulösen und die Existenz und Tätigkeit solcher Organisationen auf seinem Territorium unter Androhung strafrechtlicher Verfolgung nicht zuzulassen. Deutschland wird Personen, die den obengenannten Organisationen angehören, kein politisches Asyl gewähren.

VI. Sonstige Bestimmungen ...

Art. 20. Deutschland verpflichtet sich, keine wie auch immer geartete Propaganda zuzulassen, die das Ziel verfolgt oder geeignet ist, eine Bedrohung des Friedens, eine Verletzung des Friedens oder einen Akt der Aggression zu schaffen oder zu verstärken, einschließlich der Kriegspropaganda wie auch jeglicher Art revanchistischen Auftretens mit der Forderung auf Revision der Grenzen Deutschlands oder der Anmeldung territorialer Ansprüche an andere Länder ...

Teil II. Bestimmungen, die sich auf die Wiederherstellung der Einheit Deutschlands beziehen.

Art. 22. Die Verbündeten und Vereinten Mächte erkennen das Recht des deutschen Volkes auf Wiederherstellung der Einheit Deutschlands an ...

Art. 23. ... Die DDR und die BRD [übernehmen] die feierliche Verpflichtung, zur Erreichung der Vereinigung Deutschlands niemals Gewalt anzuwenden oder mit der Anwendung von Gewalt zu drohen ...

Art. 25. Bis zur Wiederherstellung der Einheit Deutschlands und zur Bildung eines einheitlichen deutschen Staates erhält Westberlin die Stellung einer entmilitarisierten Freien Stadt auf der Grundlage ihres besonderen Status.

Teil III. Militärische Bestimmungen.

Art. 26. [Wie 44, militärischer Leitsatz 1]

Art. 28. Deutschland darf nicht besitzen, produzieren, erwerben oder experimentell erproben:

a) jegliche Arten von Kernwaffen und andere Mittel der Massenvernichtung einschließlich der biologischen und der chemischen;

b) jegliche Arten von Raketen und gelenkten Geschossen sowie Apparate und Vorrichtungen, die zu ihrem Abschuß oder ihrer Lenkung dienen;

c) Flugzeuge, die in der Hauptsache als Bombenflugzeuge eingerichtet sind und Aufhängevorrichtungen für Bomben und Geschosse besitzen;

d) Unterseeboote.

Art. 29. Es ist Deutschland untersagt, über die für den Bedarf der durch den Art. 26 dieses Vertrages genehmigten Streitkräfte benötigte Menge hinaus Kriegsmaterial, Waffen und Geräte, ganz gleich ob auf staatlichem, auf privatem oder auf anderem Wege, zu besitzen, zu produzieren oder zu erwerben, Produktionskapazitäten für deren Herstellung zu unterhalten sowie irgendwelches Kriegsmaterial, Waffen und Geräte nach anderen Ländern auszuführen.

Art. 30. Alle ausländischen Truppen, die sich in Deutschland befinden, müssen spätestens ein Jahr nach Inkrafttreten dieses Vertrages aus Deutschland abgezogen werden ... Gleichzeitig mit dem Abzug der ausländischen Truppen aus Deutschland müssen auch alle ausländischen Militärstützpunkte auf dem Territorium Deutschlands liquidiert werden. In Zukunft wird Deutschland keine Stationierung irgendwelcher ausländischer Streitkräfte und keine ausländischen Militärstützpunkte auf seinem Territorium zulassen ...

Teil IV. Wirtschaftliche Bestimmungen.

Art. 32. [Wie 44, wirtschaftlicher Leitsatz]

Teil V. Reparationen und Restitutionen.

Art. 41. Die Frage der Zahlung von Reparationen durch Deutschland zur Wiedergutmachung des ... während des Krieges von ihm zugefügten Schadens gilt als vollständig geregelt ...

Teil VI. Schlußbestimmungen.

Art. 43. Vom Inkrafttreten des vorliegenden Friedensvertrages an wird Deutschland von allen Verpflichtungen aus internationalen Verträgen und Abkommen entbunden, die von der Regierung der DDR und der Regierung der BRD vor Inkrafttreten des vorliegenden Vertrages abgeschlossen wurden und im Widerspruch zu den Bestimmungen des Friedensvertrages stehen.

Art. 44. Jeder Streit um die Auslegung oder Erfüllung des vorliegenden Vertrages, der nicht ... durch Vereinbarung zwischen den Partnern des Streits geregelt wird, ist einer Kommission zu übergeben, der Vertreter der Sowjetunion, des Vereinigten Königreiches, der Vereinigten Staaten von Amerika, Frankreichs, der DDR und der BRD angehören ..."

H. v. Siegler, a. a. O., Bd. ²II, S. 106–118.

Berliner „Mauer" und westlicher Realismus

Nachdem Chruschtschow die ultimativ gesetzte Frist von sechs Monaten aufgegeben hatte, verhandelten in Genf die Außenminister der vier Mächte; beide deutschen Regierungen durften beratend teilnehmen. Im Mai 1960 folgte der vergebliche Versuch, in Paris eine Gipfelkonferenz der vier Regierungschefs stattfinden zu lassen. Im November 1960 stand fest, daß der demokratische Kandidat John F. Kennedy Nachfolger des republikanischen Präsidenten Eisenhower werden würde. Würden die Sowjets bei der neuen Administration der USA erfolgreicher sein? Zur gleichen Zeit traten auf kommunistischer Seite Spannungen zwischen den Regierungen und Parteien der UdSSR und der VR China auf. Anfang 1961 wiederholte die Sowjetregierung ihre Forderungen an die Regierung der BRD (75 f.). Anfang Juni trafen Chruschtschow und Kennedy in Wien zusammen; beide verdeutlichten ihrem Gesprächspartner entschlossen die eigene Position (78–79). Die publizistischen Auseinandersetzungen wurden heftiger, immer mehr „Republikflüchtlinge" gingen über die „offene Grenze" nach West-Berlin (Februar 1961: 13 500, Juni: 19 200, Juli: 30 400, August: 47 400), und im Juli mobilisierten die UdSSR und die USA wesentliche Teile ihrer Streitkräfte. Die DDR verbot rd. 55 000 „Grenzgängern", in West-Berlin zu arbeiten. Seit dem 13. August 1961 wurden zunächst die Verbindungen vom „Demokratischen Sektor" nach West-Berlin gesperrt, nach westlichen Protestnoten wurde „die Mauer" gebaut (80). Vor den Bundestagswahlen in der BRD am 17. September 1961 versuchte die UdSSR vergeblich, Kontrollbefugnisse auch für den Luftverkehr von und nach West-Berlin zu erlangen.

Was bedeutete die „Mauer" für die Politik der vier Großmächte und für die Deutschen (79, 81, 83; DP 49!)?

**Die sowjetrussische Begründung für Chruschtschows Maximal-
programm.** Im Memorandum für die Regierung der BRD vom 17. Februar 1961 hieß es:

75 „Die Sowjetunion verlangt von der Bundesrepublik keinerlei
Opfer. Wir schlagen einzig und allein vor, die nach dem Kriege
entstandene Lage in Europa zu fixieren, die Unantastbarkeit der
nach dem Krieg festgelegten Grenzen rechtlich zu verankern und die
Lage in Westberlin auf Grund einer vernünftigen Berücksichtigung
der Interessen aller Seiten zu normalisieren ...
Wenn Deutschland jetzt andere Grenzen hat als vor dem Kriege, so
ist es daran selbst schuld ...
[Man] darf ... aber nicht vergessen, daß die Großmächte umfassen-
dere Interessen besitzen, die sie zur Lösung der spruchreifen Fragen
treiben. Gerade diese umfassenderen Interessen, und nicht die
Deutschlandfrage, bestimmen letzten Endes ihre Haltung bei Verhandlungen. Und wenn [unsere ehemaligen Verbündeten im Krieg
gegen Hitlerdeutschland] dennoch nicht an der friedlichen Regelung
teilnehmen wollen, dann werden wir darangehen, einen deutschen
Friedensvertrag mit den Ländern zu schließen, die ihn unterzeichnen
wollen." *Die Sowjetunion heute, Beilage „Dokumente", Bonn, 10. März 1961, S. 3–4.*

**Chruschtschows Entschlossenheit im Frühjahr 1961, eine Ent-
scheidung in der Deutschen Frage herbeizuführen,** verdeutlichte er
in seinem Interview mit Walter Lippmann Mitte April auf der Krim:

76 *[Der sowjetrussische Ministerpräsident muß] „den kommunistischen ostdeutschen Staat – abgekürzt bekannt als DDR – festigen, und zwar bevor Westdeutschland [nuklear] wiederbewaffnet
ist ... Am meisten drängt jedoch zweifellos die Notwendigkeit, das
ostdeutsche Regime zu stabilisieren, besonders im Hinblick auf den
Flüchtlingsstrom."* „New York Herald Tribune", Europ. Ed., 19. April 1961, S. 1.

**Chruschtschows Begründung für den Plan eines einseitigen Frie-
densvertrages** der UdSSR und ihrer Verbündeten mit der DDR[12]:

77 „Sie haben den Alliierten Rat für Japan einseitig liquidiert und
die sowjetischen Vertreter jeglicher Rechte beraubt, so daß unsere
Vertreter im Grunde genommen zwischen Himmel und Erde schweb-
ten; man hat sie auf jede Weise aus Tokio verdrängt. Wir hatten
aber doch bestimmte Rechte und Pflichten, die sich aus der Tatsache
der Kapitulation Japans ergaben und die in den entsprechenden
internationalen Abkommen vereinbart worden waren."
Die Sowjetunion heute, Beilage „Dokumente", Bonn, 20. Juni 1961, S. 9.

[12] Am 8. 9. 1951 hatten die USA und ihre Verbündeten in San Francisco einen Friedensvertrag mit Japan unterzeichnet, das lediglich von Truppen der USA besetzt gewesen war.

84

Unterwerfung abzielt. Wenn wir uns dagegen wehren, machen wir von unserem Recht auf Notwehr genauso Gebrauch wie die Polizei, die gegen Rechtsbrecher im Innern des Staates einschreitet. Die Tragik einer solchen Auseinandersetzung wäre trotzdem für uns groß, weil wir wissen, daß die große Mehrzahl der Soldaten auf der Gegenseite nur gezwungen antreten würde."

Bundesministerium der Verteidigung, Führungsstab (Hg.), Information für die Truppe, Sonderbeilage „Kein Zurückweichen vor dem Kommunismus" zu Heft 10/1961, S. 9 f.

Präsident Kennedys „geopolitischer Realismus" in der Deutschen Frage. Ohne die „dem Westen so teuren legalistischen und moralistischen Argumente" erläuterte er am 16. und 17. Oktober 1961 dem finnischen Staatspräsidenten Urho K. Kekkonen in Washington D. C. seinen Standpunkt (vgl. W 47, 48!). Kennedys Sonderberater, der Historiker Arthur M. Schlesinger jr., zitierte den Präsidenten:

83 „,Westdeutschland ist eine Nation von 55 Millionen in einer äußerst verwundbaren strategischen Lage. Es ist uns gelungen, dieses Land durch die NATO, den Gemeinsamen Markt und so fort an Westeuropa zu binden. Wir wünschen nicht, daß in der Berlin-Frage irgend etwas geschieht, das die Bande zwischen Westdeutschland und Westeuropa lockert und Westdeutschland auf einen nationalistischen und unabhängigen Kurs bringt. In dieser Möglichkeit liegt die wirkliche Gefahr, daß Deutschland einen neuen Krieg auslöst.' ... Die sowjetische Politik [sei] ,auf die Neutralisierung Westdeutschlands als ersten Schritt zur Neutralisierung Westeuropas angelegt. Das macht die gegenwärtige Lage so gefährlich. Westdeutschland ist der Schlüssel zur Freiheit Westeuropas ... Wenn wir unsere Verpflichtungen in Berlin nicht einlösen, bedeutet das das Ende der NATO und eine gefährliche Lage für die ganze Welt ... Sie kennen die Niedergeschlagenheit, die die Mauer in Westdeutschland hervorgerufen hat. Wir wollen diese Stimmung nicht noch verstärken, indem wir das ostdeutsche Regime legitimieren und so ein Wiederaufleben des Nationalismus in Westdeutschland anregen ... Die Sowjetunion geht ein unnötiges Risiko ein, wenn sie diesen als Tatsache akzeptierten Zustand zu legalisieren versucht. Die Sowjetunion soll doch Deutschland auf der gegenwärtigen Basis geteilt lassen und sich nicht bemühen, uns legal mit dieser Teilung zu identifizieren und auf diese Weise unsere Verbindung zu Westdeutschland und die westdeutsche Bindung an Westeuropa zu lockern.'"

A. M. Schlesinger, Die tausend Tage Kennedys, dt. (gekürzte Ausgabe) Bern–München 1966, S. 360, 382.

Die sowjetrussische Deutung des Rechts auf Selbstbestimmung für staatlich geteilte Nationen formulierte halbamtlich Gleb Staruschenko nach der Errichtung der Berliner Mauer. Er widersprach der These, „Selbstbestimmung sei nur auf nationaler Basis möglich". Er ging aus von den Ereignissen des Jahres 1949:

84 „Die einheitliche Nation teilte sich faktisch in zwei Völker, die sich unter den Bedingungen entgegengesetzter sozialer Systeme weiterentwickelten. Die Bevölkerung jedes Teils Deutschlands erhielt das Recht auf Selbstbestimmung ... Wenn das Volk von diesem Recht einmal Gebrauch gemacht hat, so verliert es damit nicht die Möglichkeit, es von neuem für die Bestimmung seiner Geschicke anzurufen, wenn sich seine Lebensbedingungen wesentlich geändert haben ... Soll aber eine solche Wiedervereinigung möglich werden, ... [dann ist] eine gewisse Übereinstimmung ihrer Ansichten in grundlegenden inneren und äußeren Fragen ... notwendig. Folglich kann unter den heutigen Voraussetzungen die Bildung eines einheitlichen Deutschlands nur auf sozialer Grundlage herbeigeführt werden ... Da also die Bevölkerung Ostdeutschlands und die Westdeutschlands ihren eigenen Staat geschaffen haben, muß man beide als selbständige Völker, als souveräne Länder behandeln."

Wer verhindert eigentlich die Selbstbestimmung?, Die Sowjetunion heute, Bonn, 10. Dezember 1961, S. 3 f.

Die Reste der Viermächte-Institutionen in Berlin nannte ein Beschluß der Sowjetregierung zur Auflösung der „Kommandantur der Garnison der Sowjettruppen in Berlin" vom 22. August 1962. Nach der Erschießung des 18jährigen Flüchtlings Peter Fechter an der Mauer war es bei Protestkundgebungen in West-Berlin zu Auseinandersetzungen gekommen, und zwar auch gegen sowjetische Wachen, die sich auf dem Weg zum Sowjetdenkmal im Tiergarten befanden.

85 „Die Vertreter der Militärbehörden der USA, Großbritanniens und Frankreichs in Westberlin sind davon in Kenntnis gesetzt worden, daß die Fragen, die mit der Kontrolle des Personen- und Güterverkehrs der Garnisonen der USA, Großbritanniens und Frankreichs von und nach Westberlin, mit der Bewachung der deutschen Hauptkriegsverbrecher in Spandau und mit dem Schutz des Ehrenmals der Sowjetsoldaten im Tiergarten zusammenhängen, zeitweilig der Befugnis des Stabes der Gruppe der sowjetischen Streitkräfte in Deutschland unterstehen."

Neues Deutschland, Berlin-Ost, 23. August 1962, S. 1.

sprechende Rahmenvereinbarung über Berlin abzuschließen. Sie sicherte erstmalig für Deutsche Zugangsrechte im Berlin-Verkehr; ebenfalls gewährleistete sie, daß die „Bindungen" zwischen West-Berlin und der BRD anerkannt wurden (DP 84).

Hatten damit Westdeutsche und Westmächte auf „eine wirkliche Lösung des deutschen Problems, die auf der Ausübung des Selbstbestimmungsrechts in den beiden Teilen Deutschlands beruht" (D 90), verzichtet? Hatten die Regierungen der UdSSR und der DDR ihre Maximalziele erreicht (74–75)? Hatten sie – im Unterschied zu vielen Politikern der BRD seit 1949 bis 1969 – die „umfassenderen Interessen" der Westmächte (75) kühler und zutreffender einkalkuliert? Ist damit die Deutsche Frage seit dem Zweiten Weltkrieg auf absehbare Zeit „beantwortet"?

Als Material zur Beantwortung dieser Fragen sind die Bestimmungen des Moskauer Vertrags zwischen der Bundesrepublik und der UdSSR (D 98) sowie die damals nicht rechtsverbindlich vereinbarten „Nebenabreden" (DP 71, 75–76) wichtig geworden. Zur Entstehung dieser Texte Näheres in den Memoiren des damaligen westdeutschen Botschafters: Helmut Allardt, Moskauer Tagebuch. Beobachtungen, Notizen, Erlebnisse, Düsseldorf [3]1974; insbesondere zur russischen Übersetzung des Staatsnamens Bundesrepublik Deutschland vgl. DP 105! Die Formulierungen von 1970 wurden in den Verträgen der Bundesrepublik mit den Staaten des Sozialistischen Lagers in Europa aufgegriffen und auf die jeweiligen Sachverhalte angewandt; im Verhältnis zur DDR sind die Verträge des Berliner Senats mit der DDR hinzunehmen. Das Rahmen-Abkommen der vier Siegermächte über Berlin regelt seit 1971 (DP 85 ff.) den modus vivendi. Nach diesen Entscheidungen wurde die Abgrenzungs-Politik der DDR gegenüber der als kapitalistisch bewerteten Bundesrepublik Deutschland seit 1974 in wesentlichen Änderungen der DDR-Verfassung verdeutlicht (DP 103 f.). Die völkerrechtlich entscheidenden Konsequenzen wurden ein Jahr später im Pakt zwischen DDR und UdSSR festgelegt (D 100, vgl. den 1964 für 20 Jahre vereinbarten Vertrag, D 88). Wollten die Verantwortlichen in UdSSR und DDR so unerwünschte Schlußfolgerungen aus jenen Texten verhindern, die im Sommer 1975 in Helsinki auf der Schlußsitzung der „Konferenz über Sicherheit und Zusammenarbeit in Europa" (KSZE) vereinbart und die von der Bonner Regierung öffentlich als der Wiedererlangung der Einheit des deutschen Volkes dienlich gedeutet worden waren (vgl. D 99, DP 97)? Außerdem war der Fortfall der geographischen Begrenzung auf Europa wichtig, wie sie seit 1955 im Warschauer Pakt (W I, Nr. 24, Art. 4) auch für die DDR galt.

Das Berliner Passierscheinabkommen von 1963. Nach dem Bau der Mauer waren zwei besondere Passierscheinstellen für West-Berliner im Bereich West-Berlins polizeilich geschlossen worden. Seitdem durften West-Berliner den Ostsektor nicht betreten. Im Dezember 1963 wurde ein Protokoll vereinbart; darin hieß es abschließend:

86 „Ungeachtet der unterschiedlichen politischen und rechtlichen Standpunkte ließen sich beide Seiten davon leiten, daß es möglich sein sollte, dieses humanitäre Anliegen zu verwirklichen. In diesen Besprechungen, die abwechselnd in Berlin (West) und Berlin (Ost)/Hauptstadt der DDR stattfanden, wurde die . . . Übereinkunft erzielt. Beide Seiten stellten fest, daß eine Einigung über gemeinsame Orts-, Behörden- und Amtsbezeichnungen nicht erzielt werden konnte. Dieses Protokoll . . . wird von beiden Seiten gleichlautend veröffentlicht.
Berlin, den 17. Dezember 1963

Auf Weisung des Stellvertreters des Vorsitzenden des Ministerrats der DDR gez. Erich Wendt Staatssekretär

Auf Weisung des Chefs der Senatskanzlei, die im Auftrage des Regierenden Bürgermeisters von Berlin gegeben wurde, gez. Horst Korber, Senatsrat"[13]

Archiv der Gegenwart (AdG), 1963, S. 10 965 E.

Der schwindende Einfluß der Bundesrepublik Deutschland in den USA nach dem Ende der Ära Eisenhower-Dulles (W 58–63) wurde mehrfach deutlich. In den Hearing des US Senate Ethics Committee wurde im Sommer 1966 ein Brief veröffentlicht, den der spätere Vizepräsident der USA, Hubert H. Humphrey, am 10. Januar 1964 als Senator an den Generalmajor a. D. der US Army, Julius Klein, gerichtet hatte. Klein betrieb eine Public Relations-Firma. Zu den Auftraggebern des registrierten Lobbyisten zählten große westdeutsche Firmen und die Bundesregierung in Bonn. Humphrey beklagte sich über die häufigen Beschwerden des deutschen Botschafters:

87 „Ich benötige keine Nachhilfe vom deutschen Botschafter . . . Ich unterstütze unser Bündnis mit der BRD und den anderen NATO-Staaten sehr. Aber ich glaube nicht, daß die deutschen Beamten überhaupt in der Lage sind, irgendeinen amerikanischen Beamten wegen des Handels mit der Sowjetunion und anderen kommunistischen Ländern zu belehren oder zu ermahnen."

New York Herald Tribune, European Edition, 25. Juni 1966, S. 1.

[13] Ähnliche Vereinbarungen kamen bis Sommer 1966 zustande. Seitdem weigerte sich die DDR, die Vorbehaltsklauseln zu unterzeichnen. Es existierte bis 1971 nur noch eine Passierscheinstelle für dringende familiäre Angelegenheiten von West-Berlinern; vgl. DP 92:

krieg in einem Stadium ständiger territorialer Expansion befindet. Eine solche Politik schließe jede Möglichkeit des Verzichts auf die Beherrschung der Sowjetzone aus.

Gerade diese letzte Behauptung erweist sich aber bei näherer Prüfung als falsch. Die Sowjetunion hat eine viel geschmeidigere Politik getrieben, als ihr unterstellt wird. Ihre Politik kennt sehr wohl die Preisgabe auch territorialer Positionen. So hat die Sowjetunion den Nordteil Persiens wieder verlassen, in den sie einmarschiert war. Sie hat ihre Zone in Österreich aufgegeben, obwohl sie niemand zu dieser Aufgabe hätte zwingen können. Sie hat den finnischen Stützpunkt Porkalla geräumt, der ihr im Friedensvertrag von 1947 zugesprochen war. Allein schon diese drei Ereignisse zeigen, daß die angeführte These falsch ist.

Die Räumung der Sowjetzone von sowjetischem Militär würde also keineswegs einen grundsätzlichen Bruch mit der Tradition sowjetischer Außenpolitik erfordern und liegt durchaus im Bereich des Möglichen. Freilich wird dies nicht ohne Gegenleistung abgehen. Damit sind wir bereits im Bereich der realistischen Betrachtungsweise. Nach dieser – m. E. allein zutreffenden – Form der Beurteilung hängt die Möglichkeit der deutschen Wiedervereinigung davon ab, welches Interesse die Sowjetunion auf die Dauer an dem Regime der Sowjetzone hat ... Es geht um die militärische Sicherung der sowjetischen Westgrenze von der Ostsee bis zum Schwarzen Meer. Nun wird man heute in der Bundesrepublik jeden Gedanken von sich weisen, als könne es einen erneuten Angriff Deutschlands gegen die Sowjetunion geben. Breite Kreise der deutschen Öffentlichkeit werden ein militärisches Sicherheitsbedürfnis der UdSSR gerade gegenüber der Bundesrepublik verneinen, weil das Kräfteverhältnis so deutlich zugunsten der Sowjetunion spricht, daß ein deutscher Angriff als reiner Selbstmord erscheint.

Doch kommt es nicht darauf an, ob wir eine Bedrohung der Sowjetunion für gegeben erachten, sondern ausschließlich darauf, ob Sicherheitsverlangen auf der sowjetischen Seite – berechtigt oder nicht – besteht ... Auch die gegenwärtige militärische Situation in Deutschland mit der offensichtlichen Unterlegenheit gegenüber den sowjetischen Streitkräften ist kein Argument. Noch 1932 erschien ein deutscher Feldzug gegen Frankreich völlig unmöglich, acht Jahre später war Frankreich militärisch völlig besiegt ... Hinzu kommt, daß es sich gar nicht allein um die Bundesrepublik oder einen kommenden deutschen Gesamtstaat handelt. Die Allianz mit den Vereinigten Staaten, die Tatsache der Lagerung von Atomsprengköpfen amerikanischer Herkunft in der Bundesrepublik und andere Erscheinungen lassen gerade ein amerikanisch-deutsches Zusammengehen als

gefahrvoll für die Sowjetunion erscheinen. Da die militärische Ver-
wundbarkeit der Sowjetunion nach der historischen Erfahrung
gerade auf der russischen Westflanke besteht, ist ihr an einer Nicht-
angriffs-Garantie viel gelegen. Insofern spielt – eben auch defen-
siv – die Sowjetzone die Rolle des Faustpfandes oder des vorge-
schobenen Glacis ... Sind diese Überlegungen zutreffend, so würde
eine Aufhebung der deutschen Teilung nur zu erreichen sein, wenn
der Sowjetunion entsprechende Schutzgarantien gegeben werden ...
Auch die Bundesrepublik fühlt sich nicht durch die Bindungen der
UdSSR an Art. 2 der Satzung der Vereinten Nationen völlig sicher,
sondern legt auf die amerikanische Präsenz in Deutschland Wert.
Die Sicherungen müßten auch im umgekehrten Falle etwas kon-
kreter [als in der Erklärung der BRD gegenüber den NATO-Ver-
bündeten von 1954] sein.
Hierbei bleibt natürlich darauf zu achten, daß diese Sicherungen
zugunsten der Sowjetunion nicht gleichzeitig eine Schwächung der
mitteleuropäischen Position bedeuten ... Es ist durchaus vorstellbar,
daß eine Lösung der defensiven Absicht sowohl der einen wie auch
der anderen Seite dienen kann. Es wäre schon viel gewonnen, wenn
diese Einsicht Allgemeingut würde."

E. Menzel, *Der Rang der deutschen Frage in der Weltpolitik*, Kieler Nachrichten,
9. Januar 1965, S. 19.

Der Warschauer Brief der Zentralkomitees der kommunistischen und
Arbeiterparteien Bulgariens, Ungarns, der DDR, Polens und der Sowjetunion an das ZK der Kommunistischen Partei der ČSSR vom 15. Juli 1968
warnte eindringlich vor der imperialistischen Offensive gegen die KPČ
„und gegen die Grundlagen der Gesellschaftsordnung der ČSSR"; sie
bedrohe „die Interessen des ganzen sozialistischen Systems". Ferner hieß es:

93 „Die Grenzen der sozialistischen Welt haben sich bis in das Herz
Europas, bis zur Elbe und bis zum Böhmerwald vorgeschoben.
Und wir werden niemals damit einverstanden sein, daß diese historischen Errungenschaften des Sozialismus, die Unabhängigkeit und
Sicherheit aller unserer Völker in Gefahr geraten. Wir werden niemals zulassen, daß der Imperialismus auf friedlichem oder unfried-
lichem Wege, von innen oder von außen eine Bresche in das sozia-
listische System schlägt und das Kräfteverhältnis in Europa zu seinen
Gunsten verändert." *Frankfurter Rundschau, 19. Juli 1968, S. 5.*

und der internationalen Sicherheit von den Zielen und Grundsätzen, die in der Charta der Vereinten Nationen niedergelegt sind, leiten lassen. Demgemäß werden sie ihre Streitfragen ausschließlich mit friedlichen Mitteln lösen und übernehmen die Verpflichtung, sich in Fragen, die die Sicherheit in Europa und die internationale Sicherheit berühren, sowie in ihren gegenseitigen Beziehungen gemäß Art. 2 der Charta der Vereinten Nationen der Drohung mit Gewalt oder der Anwendung von Gewalt zu enthalten.

Art. 3. In Übereinstimmung mit den vorstehenden Zielen und Prinzipien stimmen die BRD und die UdSSR in der Erkenntnis überein, daß der Frieden in Europa nur erhalten werden kann, wenn niemand die gegenwärtigen Grenzen antastet.

Sie verpflichten sich, die territoriale Integrität aller Staaten in Europa in ihren heutigen Grenzen uneingeschränkt zu achten; sie erklären, daß sie keine Gebietsansprüche gegen irgend jemand haben und solche auch nicht erheben werden;

sie betrachten heute und künftig die Grenzen aller Staaten in Europa als unverletzlich, wie sie am Tage der Unterzeichnung dieses Vertrages verlaufen, einschließlich der Oder-Neiße-Linie, die die Westgrenze der Volksrepublik Polen bildet, und der Grenze zwischen der BRD und der DDR.

Art. 4. Dieser Vertrag zwischen der BRD und der UdSSR berührt nicht die von ihnen früher abgeschlossenen zweiseitigen Verträge und Vereinbarungen.

Art. 5. Dieser Vertrag bedarf der Ratifikation und tritt am Tage des Austausches der Ratifikationsurkunden in Kraft, der in ... stattfinden soll ...‘‘

Willy Brandt
Walter Scheel

[Alexei] Kossygin
A[ndreij] Gromyko‘‘

„Frankfurter Rundschau“, 13. August 1970, S. 2

Aus dem Brief des Bundesaußenministers an die Regierung der UdSSR zum Abkommen vom 12. August 1970:

99 „In Zusammenhang mit der heutigen Unterzeichnung des Vertrages zwischen der BRD und der UdSSR beehrt sich die Regierung der Bundesrepublik festzustellen, daß dieser Vertrag nicht im Widerspruch zu den politischen Zielen der BRD steht, auf einen Zustand des Friedens in Europa hinzuwirken, in dem das deutsche Volk in freier Selbstbestimmung seine Einheit wieder erlangt ...‘‘

„Frankfurter Rundschau“, 12. August 1970, S. 2

Aus dem Moskauer „Vertrag über Freundschaft, Zusammenarbeit und gegenseitigem Beistand zwischen der DDR und der UdSSR" vom 7. Oktober 1975; die Staatsnamen werden nur abgekürzt wiedergegeben:

100 Die DDR und die UdSSR haben,
darauf aufbauend, daß zwischen der DDR und der UdSSR ein enges brüderliches Bündnis entstanden ist, das auf dem Fundament des Marxismus-Leninismus und des sozialistischen Internationalismus beruht;
in der festen Überzeugung, daß die allseitige Festigung der Einheit und Freundschaft zwischen der DDR und der UdSSR den Grundinteressen der Völker beider Länder und der gesamten sozialistischen Staatengemeinschaft entspricht und der weiteren Annäherung der sozialistischen Nationen dient;
geleitet von dem Streben, gemäß den Grundsätzen und Zielen der sozialistischen Außenpolitik die günstigsten internationalen Bedingungen für die Errichtung des Sozialismus und Kommunismus zu gewährleisten;
dem Schutz der territorialen Integrität und Souveränität beider Staaten gegen jegliche Anschläge erstrangige Bedeutung beimessend;
entschlossen, die sich aus dem Warschauer Vertrag über Freundschaft, Zusammenarbeit und gegenseitigen Beistand vom 14. Mai 1955 ergebenden Verpflichtungen strikt einzuhalten;
konsequent und unentwegt für die Festigung der auf der Gemeinsamkeit der sozialen Ordnung und der Endziele beruhenden Geschlossenheit aller Länder der sozialistischen Gemeinschaft eintretend;
bekräftigend, daß die Unterstützung, die Festigung und der Schutz der sozialistischen Errungenschaften, die dank den heldenhaften Anstrengungen und der aufopferungsvollen Arbeit der Völker erzielt wurden, gemeinsame internationalistische Pflicht der sozialistischen Länder sind;
der weiteren Vervollkommnung der politischen und ideologischen Zusammenarbeit, der Entwicklung und Vertiefung der sozialistischen ökonomischen Integration große Bedeutung beimessend;
in der festen Absicht, die weitere Festigung des Friedens und der Sicherheit in Europa und in der ganzen Welt zu fördern und ihren Beitrag dazu zu leisten, die kollektiv ausgearbeiteten Prinzipien der Beziehungen zwischen Staaten mit unterschiedlicher Gesellschaftsordnung zu verwirklichen und auf dieser Grundlage eine

Kräfte des Imperialismus und der Reaktion zu schützen, das Wettrüsten einzustellen, zur allgemeinen und vollständigen Abrüstung beizutragen, den Kolonialismus in all seinen Formen und Erscheinungen endgültig zu beseitigen und die von kolonialer Unterdrückung befreiten Staaten bei der Stärkung ihrer nationalen Unabhängigkeit und Souveränität zu unterstützen.

Artikel 6

Die h. v. S. betrachten die Unverletzlichkeit der Staatsgrenzen in Europa als wichtigste Voraussetzung für die Gewährleistung der europäischen Sicherheit und bringen die feste Entschlossenheit zum Ausdruck, gemeinsam und im Bündnis mit den anderen Teilnehmerstaaten des Warschauer Vertrages über Freundschaft, Zusammenarbeit und gegenseitigen Beistand vom 14. Mai 1955 und in Übereinstimmung mit ihm die Unantastbarkeit der Grenzen der Teilnehmerstaaten dieses Vertrages, wie sie im Ergebnis des zweiten Weltkrieges und der Nachkriegsentwicklung entstanden sind, einschließlich der Grenzen zwischen der DDR und der BRD, zu gewährleisten.
Beide Seiten werden gemeinsame Anstrengungen unternehmen, um jeglichen Erscheinungen des Revanchismus und Militarismus entgegenzuwirken, und die strikte Einhaltung der mit dem Ziel der Festigung der europäischen Sicherheit abgeschlossenen Verträge anstreben.

Artikel 7

In Übereinstimmung mit dem Vierseitigen Abkommen vom 3. September 1971 werden die h. v. S. ihre Verbindungen zu Westberlin ausgehend davon unterhalten und entwickeln, daß es kein Bestandteil der BRD ist und auch weiterhin nicht von ihr regiert wird.

Artikel 8

Im Falle eines bewaffneten Überfalles irgendeines Staates oder irgendeiner Staatengruppe auf eine der h. v. S. wird die andere h. v. S. dies als einen Angriff auf sich selbst betrachten und ihr unverzüglich jeglichen Beistand, einschließlich militärischen, leisten und sie in Ausübung des Rechts auf individuelle oder kollek-

tive Selbstverteidigung entsprechend Artikel 51 der Charta der Vereinten Nationen mit allen ihr zur Verfügung stehenden Mitteln unterstützen.
Über die auf Grund dieses Artikels ergriffenen Maßnahmen werden die h. v. S. unverzüglich den Sicherheitsrat der Vereinten Nationen unterrichten und im Einklang mit den Bestimmungen der Charta der Vereinten Nationen handeln.

Artikel 9

Die h. v. S. werden in allen wichtigen internationalen Fragen einander informieren, sich konsultieren und ausgehend von der gemeinsamen Position, die entsprechend den Interessen beider Staaten abgestimmt wurde, handeln.

Artikel 10

Dieser Vertrag berührt nicht die Rechte und Pflichten der h. v. S. aus gültigen zwei- und mehrseitigen Abkommen.

Artikel 11 [Ratifizierung]

Artikel 12

Dieser Vertrag wird für die Dauer von 25 Jahren abgeschlossen und automatisch um jeweils weitere zehn Jahre verlängert, wenn nicht eine der h. v. S. zwölf Monate vor Ablauf der Geltungsdauer den Wunsch äußert, ihn zu kündigen. . . .

Für die DDR   Für die UdSSR
E. Honecker   L. Breshnew

Deutschland Archiv, Jg. 1975, H. 11, S. 1204-1206, nach: „Neues Deutschland",
8. Oktober 1975.

„Symbolischer Rest der ‚Deutschen Frage' ". Bernhard Heimrich beurteilte so in einer politischen Glosse den diplomatisch formulierten Vorbehalt der drei (Berliner Besatzungs-) Mächte gegenüber Realitäten:
101 „Zu den über 100 Staaten, die inzwischen mit der DDR diplomatische Beziehungen unterhalten, gehört seit [dem 4. September 1974] auch die Führungsmacht des Westens. . . . Frei-

Quellen- und Arbeitshefte
zur Geschichte und Politik

Heinrich Bodensieck

Deutschland-Politik der Bundesrepublik Deutschland

ISBN 3-12-425300-0

Inhalt

Ernst Klett Verlag Stuttgart